FRANCE-CLAUDE LÉTOURNEAU

Je lève les voiles

GUIDE PRATIQUE
POUR UN MIEUX-ÊTRE

MARABOUT

Sylvie Veil, 23,
514-248-1377

Sommaire

Avant-propos

Écrire un livre… Voilà un projet auquel je pensais depuis longtemps, mais qui se résumait à des idées qui germaient ici et là dans mon esprit. Puis, un jour, j'ai tranquillement eu le courage de le commencer, de travailler concrètement à ce projet.

Comment tout ce processus s'est-il enclenché ? J'ai fait mes premiers apprentissages comme psychologue, dans une clinique où j'ai travaillé pendant quatre ans et où j'ai eu l'occasion de me rapprocher de mon père, qui y travaillait aussi, avant qu'il parte pour un autre monde.

Un beau matin, les raisons de poursuivre mon travail à cet endroit se sont envolées et j'ai ressenti le besoin d'explorer d'autres sentiers, de suivre ma voie dans un autre environnement. Lors d'un souper entre collègues pour souligner mon départ, on m'a offert un cahier à spirales.

Je ne me doutais pas alors qu'il contiendrait les premières notes manuscrites de ce livre !

Écrire un livre est quelque chose qui me faisait peur. Tant de gens l'ont fait à travers les époques, à petite ou à grande échelle, sur tant de sujets différents !

Faire évoluer son projet d'écriture représente tout un périple. On jurerait être la première personne à emprunter cette voie. Et en fait, c'est bien le cas. Personne d'autre n'écrira ce livre-ci et ne fera évoluer de la même manière ces idées qui naissent en soi. Il n'y a pas de mode d'emploi. Au début, cela semble tellement grand, comme idée, tellement inaccessible…

Travaillant dans le milieu de l'enseignement et de la psychothérapie, j'ai la possibilité de vérifier la compréhension des gens au fur et à mesure que je communique avec eux. Mettre mes idées sur papier pour m'assurer de trouver les moyens d'être comprise à travers l'écriture m'a donc souvent semblé une montagne.

J'ai appris à écrire en le faisant, un peu comme on le fait dans notre vie, par essais-erreurs. Je me suis fiée à moi-même, à la passion qui m'habitait, à ma volonté de partager mes convictions, aux gens de mon entourage qui m'encourageaient à prendre le temps nécessaire pour mener ce projet, aux élans spontanés de vie et de créativité.

Écrire un livre, c'est aussi recevoir du soutien et de l'amour. J'aimerais remercier certaines personnes pour leur présence sur mon chemin. Mes amis, les meilleurs du monde, qui, chacun à leur façon, si unique, par leur acceptation et leur amour, ont su être à l'écoute de mes réflexions, de mes questionnements, de mes doutes, de mes convictions, et m'ont permis de vivre toute une gamme d'émotions. Ils m'ont encouragée, avec respect, à assumer mes idées et à poursuivre ma lancée dans la vie et dans la création de ce livre. J'ai une pensée pour chacun d'entre eux et je les remercie du fond du cœur.

Un merci particulier à Maryse, l'illustratrice de ce livre. Comment une seule et même personne peut-elle posséder autant de talent ? Ce que tu accomplis dans le domaine de l'illustration m'émerveille et me touche profondément. Merci d'avoir fait naître avec passion les idées et les personnages de ce livre. Merci aussi pour ton amitié, pour ta présence authentique, pour le partage des aléas du chemin créatif et plus encore.

Stéphane, mon grand frère, un homme en contact avec ses émotions et capable de se regarder en face pour évoluer constamment sur son chemin. Merci pour cet amour authentique, pour ces conversations où l'on s'aide à mieux se comprendre et à cultiver l'idée que l'on possède le pouvoir de créer nos vies.

Louise, ma mère, merci d'être toujours là, dans les hauts et dans les bas… De m'aimer dans tous mes changements et de me soutenir dans mes démarches de connaissance et d'épanouissement personnel.

Merci aux étudiants, qui ont été tellement généreux, en classe, dans leur participation aux échanges stimulants.

Merci aux gens que j'ai suivis en psychothérapie, qui m'ont fait confiance et qui m'ont permis d'en savoir plus sur la nature de l'être humain et sur les relations interpersonnelles.

Merci aussi à tous les inconnus dans la rue, dans les parcs et d'autres lieux publics qui, sans le savoir, ont alimenté mes réflexions sur les gens.

Donc, voilà, je vous présente maintenant le fruit de ma passion et de mes apprentissages humains… Prenez-les avec légèreté et un brin d'humour, car je crois que ce sont d'abord et avant tout des outils pour nous permettre de passer à travers toute chose dans la vie.

Enfin, une dernière petite chose avant de commencer. J'aimerais que vous ne lisiez pas ce livre en vous disant uniquement que c'est une psychologue qui l'a écrit… Il est vrai que la formation et l'expérience du travail de psychologue permettent de mieux comprendre certaines bases du fonctionnement de l'être humain. Cependant, j'ai surtout écrit ce livre en tant que femme qui vit et continuera de vivre des expériences heureuses et souffrantes, qui observe les gens de son entourage et essaie de comprendre cette aventure que nous vivons tous. J'aimerais donc que vous gardiez cela en tête tout au long de votre lecture…

Introduction

Depuis le début des temps, la science évolue à un rythme effarant. Au XXIe siècle, les percées scientifiques voient le jour plus rapidement les unes que les autres. Grâce à ces nombreuses découvertes, l'être humain est devenu quasiment à toute épreuve en se protégeant de plusieurs menaces. La science gagne dorénavant le combat contre plusieurs maladies et bactéries auparavant mortelles (bien que l'on assiste maintenant à l'apparition de nouvelles sources de danger). On transmet de l'information partout sur la Terre à une vitesse inimaginable et de nouvelles découvertes pourraient bientôt nous permettre de voyager facilement sur d'autres planètes.

Mais comment parvenir à être heureux ? À trouver un équilibre au cœur de soi ? À accéder au bonheur intime ? À se sentir en paix avec soi-même ? C'est là une recette que l'humanité recherche depuis toujours sans vraiment en arriver à des conclusions tranchées.

Pour tout être humain, les notions de bonheur et d'amour de soi gardent une part de mystère. Elles dépassent toute science, tout progrès moderne. Des sujets aussi abstraits n'impliquent aucune vérité absolue et on ne peut emprunter un chemin unique pour accéder à l'équilibre recherché. Je considère qu'il y a plutôt des connaissances et des outils que l'on analyse et que l'on expérimente à sa guise, selon les phases et les contextes de notre vie.

En effet, je crois que nous pouvons créer notre propre recette du bonheur à partir de tous les ingrédients qui nous sont accessibles durant notre chemin sur cette Terre... Alors nous pouvons nous approcher, lentement, par essais-erreurs, de notre réelle nature.

Bien entendu, étant donné que l'amour de soi est un thème qui touche tout le monde, une foule de gens provenant de divers milieux et professions écrivent sur ce sujet ou effectuent des recherches pour mieux comprendre son impact sur nos vies. Le poète, le chanteur, le compositeur, le sculpteur, le peintre, le photographe, le danseur, et j'en passe..., s'en inspirent dans la création de leurs œuvres. Les philosophes, les sociologues, les psychologues et autres professionnels des sciences humaines cherchent à saisir la direction que prennent l'enfant, l'homme et la femme devant ces phénomènes que sont l'amour de soi et le bonheur.

Qu'est-ce que l'amour de soi ou, plutôt, comment le ressentir pleinement et l'intégrer dans son quotidien ? Notre perception de nous-même et des autres ainsi que notre capacité à communiquer évoluent au cours de la vie. L'enfant, l'adolescent, le jeune adulte, l'adulte d'âge moyen et la personne âgée n'ont pas la même façon de concevoir la vie, l'amour et la relation à soi-même et aux autres, car cette perception est influencée par certaines phases du développement normal d'une personne.

Plusieurs auteurs se sont attardés à ces étapes du développement, et il est intéressant de lire à ce sujet pour mieux comprendre ce que l'on vit personnellement et ce que vivent certaines personnes de notre entourage[1]. Il est vrai que les meilleurs apprentissages se font souvent « sur le terrain », avec les expériences que la vie nous procure. Cependant, je crois qu'il y a un manque flagrant dans notre société sur le plan de l'apprentissage d'une saine relation à soi et des outils permettant de mieux la comprendre. En effet, je suis d'avis que les enfants devraient recevoir systématiquement une formation en relations humaines à la

1   Gail Sheehy a écrit brillamment à ce sujet dans *Les passages de la vie — crises prévisibles de l'âge adulte*, Montréal, Éditions Sélect, 1978

maison et dans les écoles. En connaissant mieux les outils qu'ils possèdent en eux-mêmes, ces adultes en devenir gagneraient beaucoup d'énergie. Ils éviteraient aussi certaines souffrances, et cela pourrait faciliter et accélérer l'évolution de l'être humain.

Il demeure cependant qu'il n'existe aucune vérité absolue sur le bonheur et sur l'amour de soi ; on n'a que sa propre réalité, qui est à construire.

Ce livre vous suggère des pistes de travail pour générer votre bien-être individuel. C'est un outil pour apprendre à mieux vivre cet aspect de votre vie. C'est un ingrédient de plus, mis sur votre chemin pour éventuellement faire partie de votre recette du bien-être.

Certains des éléments et concepts illustrés dans ce livre vous paraîtront d'une simplicité déconcertante. C'est voulu ! La vie est déjà si complexe... Pourquoi la compliquer davantage à l'aide de théories et d'outils laborieux ? Je crois qu'il est plus stratégique de choisir la simplicité.

De plus, l'approche que je privilégie est axée sur la recherche de solutions pour se porter mieux ici et maintenant. Je crois que notre enfance influence grandement nos comportements et nos attitudes, mais je considère que nos expériences ne déterminent pas entièrement notre capacité de changer pour être libre par rapport à nous-même. Si vous ressentez le besoin d'analyser profondément votre enfance pour comprendre ce qui s'est passé dans votre histoire, écoutez cet appel intérieur. Cette démarche, que vous la fassiez seul ou avec de l'aide, peut s'avérer le meilleur point de départ pour vous. Même si vous ne désirez pas analyser votre enfance, une psychothérapie peut être un processus utile sur le chemin de votre évolution. Ainsi, lorsqu'on est collé à un tronc d'arbre, on a parfois besoin de quelqu'un pour nous rappeler qu'il existe une vaste forêt à l'horizon.

Si vous avez envie de prendre du recul et si vous vous sentez prêt à comprendre et à appliquer quelques notions pour tendre à un meilleur équilibre dans la relation que vous entretenez avec vous-même, alors le temps est venu de passer à l'action. En effet, durant votre lecture, vous verrez que je suggère souvent des pistes de solutions axées sur des actions concrètes. Vous êtes donc appelé à être proactif tout au long de ce processus.

Il est possible, pour se porter mieux et atteindre ses objectifs personnels, d'agir au quotidien, d'être maître de ses états intérieurs et de changer sa vie.

Ce livre porte sur des pistes stratégiques permettant d'agir ici et maintenant. De simples gestes, paroles et attitudes nouvelles suffisent souvent à engendrer du changement[1].

C'est votre vie, et vous devez donc développer votre propre voie !

....

1. Une dernière spécification : les histoires de cas utilisés pour illustrer la théorie proviennent d'entrevues avec d'autres clients dont les noms et détails personnels ont été modifiés afin de préserver leur anonymat.

À propos des exercices

Si nous voulons apprendre comment aimer, nous devons procéder de la même manière que pour apprendre n'importe quel autre art, à savoir la musique, la peinture, la charpenterie, ou l'art de la médecine ou de la mécanique.

ERICH FROMM

Tout au long de votre lecture, certains exercices vous seront proposés. Vous êtes invité à vous procurer un cahier où vous noterez toutes vos réponses, cahier qui portera le nom de journal de bord. Pour ma part, quand je lis un livre, j'ai tendance à sauter les exercices quand je ne sens pas qu'ils m'apportent ce dont j'ai besoin ou par pure paresse passagère. Surtout, sentez-vous libre de faire ou non les exercices présentés dans ce livre. Sachez cependant qu'ils visent à enclencher un processus de réflexion personnelle menant à l'action. D'un autre côté, si l'exécution d'un exercice en particulier vous pèse trop, c'est peut-être tout simplement parce qu'il ne correspond pas à un besoin clair de votre cheminement actuel. Vous êtes la meilleure personne pour juger de sa pertinence dans votre réalité présente.

De façon générale, en gardant en tête les notions de choix, d'expérimentation et de plaisir, faites les exercices qui vous stimulent, vous amusent et attisent votre curiosité.

Une autre chose importante : il n'y a pas de bonnes ni de mauvaises réponses aux questions posées dans les exercices. La technique de la « tempête d'idées » vous est suggérée à l'occasion. Il s'agit de répondre à une question ou de réfléchir à un principe en étant ouvert à toutes les idées qui vous viennent à l'esprit, et ce, sans autocritique ni jugement. Les éléments farfelus, bizarres, originaux, logiques, illogiques sont tous valables et bienvenus. Cette méthode permettra à votre créativité et à vos émotions de s'exprimer pleinement, et il en résultera souvent des réponses intéressantes, qui autrement auraient été éliminées par votre sens critique dès le départ. Fiez-vous d'abord à votre intuition, car, de toute façon, une fois que vous avez généré tous les éléments de réponse, vous serez libre de faire une sélection afin de retenir ceux qui captent davantage votre attention.

Il est possible que vous vous demandiez, au moment de faire un exercice, quel est le but visé. De façon générale, les activités d'apprentissage sont conçues dans le but de vous faire découvrir vos propres clés, vos propres solutions. Les liens se feront donc graduellement, en séquences, et le tableau global se dévoilera tranquillement, un peu comme se dessine la toile du peintre. Il est rare que l'artiste connaisse d'avance l'apparence finale et précise de son œuvre.

J'aimerais ajouter que les outils proposés dans ce livre ne constituent pas une sorte de recette magique visant à régler tous vos problèmes. Je vous invite à vous fier à votre flair et à expérimenter les moyens suggérés en les adaptant à votre vécu et à votre personnalité. Je vous propose aussi de prendre votre temps en ce qui a trait à ces nouveaux apprentissages. De la sorte, vous les intégrerez mieux dans votre vie. Ainsi, veillez à ne pas tenter de changer trop vite ! De plus, les premiers temps, vous pourriez trouver que l'application concrète, au quotidien, de certains principes manque parfois de spontanéité et de naturel. Dans ce cas, rassurez-vous. C'est tout à fait normal !

- Rappelez-vous la première fois que vous avez conduit un vélo.
- Comment s'est déroulée l'expérience ?
- Étiez-vous en parfait équilibre dès le départ ?
- À quel point étiez-vous à l'aise et sûr de vous ?

Pour ma part, je me rappelle mes premières tentatives à vélo. J'étais à la fois emballée et nerveuse. Au début, je ne faisais que de petites distances ; j'avais rapidement besoin de me reposer, de constater mes progrès et de reprendre confiance en moi avant de poursuivre ma route. J'étais encore hésitante mais pleine d'espoir et d'excitation. Je me souviens aussi avoir été terrorisée à l'idée d'une chute, d'avoir tout tenté pour éviter un manque de contrôle. Pourtant, et c'était inévitable, je suis tombée en écorchant mes pauvres petits genoux ! Cela ne m'a pourtant pas empêchée de remonter sur mon vélo pour poursuivre mon chemin, et mes genoux ont vite guéri !

Aujourd'hui, j'enfourche ma bicyclette avec aisance et assurance, et sans même me poser de questions, car cette habileté est acquise. Comme pour vous tous, sans doute, il ne m'est plus nécessaire de faire un effort conscient pour y arriver aisément.

Ces mêmes principes de patience, de confiance et de persévérance s'appliquent à l'apprentissage de la plupart des nouveaux comportements humains. Nous avons besoin de pratique pour les acquérir, et ce n'est qu'avec le temps qu'ils peuvent devenir une seconde nature.

En résumé, durant votre lecture, vous devriez :

- utiliser les outils proposés en les adaptant à votre style personnel.

- vous rappeler l'importance des notions de choix, d'expérimentation et de plaisir.

- vous souvenir qu'il existe de multiples vérités au sujet du bonheur et que vous devez découvrir vos propres clés, vos propres solutions.

◗ prendre votre temps pour changer.

◗ vous traiter avec douceur et avoir confiance en vos moyens, car vous êtes en situation d'apprentissage.

Tout au long de votre lecture, vous rencontrerez des symboles visuels indiquant la façon particulière dont sera traité un sujet. Voici la signification de chacun d'eux.

Exercice

Ce marteau vous invite à appliquer les concepts illustrés de façon plus concrète.

On sort les outils et on s'exerce !

Histoire de cas

Ici est annoncée une histoire tirée de l'expérience réelle d'une personne qui est parvenue à accomplir son objectif et indique comment elle y est arrivée.

Laissez-vous inspirer !

Métaphore

Ce symbole est lié à une métaphore. Une histoire tirée de la nature ou d'une activité de la vie quotidienne aide à mieux comprendre un concept plus abstrait.

Laissez-vous transporter et faites des liens !

Réflexion

Cette lunette amène à réfléchir sur soi en s'analysant ou en auto-observant ses comportements et attitudes.

Observez-vous !

 Cible

Située à la fin de chacune des sections, cette cible vous invite à résumer vos apprentissages et à choisir des actions précises à entreprendre... Priorisez ce qui est important pour vous !

> *Tu dois devenir l'homme que tu es.*
> *Fais ce que toi seul peux faire. Deviens sans cesse celui que tu es,*
> *Sois le maître et le sculpteur de toi-même.*
>
> Friedrich Nietzsche

Petit enfant, on est au cœur de soi. On émet toute notre lumière et on est pleinement engagé dans l'élan créateur qui nous poussera à développer les caractéristiques qui feront de nous une personne unique.

Nous évoluons ainsi dans le monde, empruntant nos propres chemins, vivant des joies et des douleurs, nous heurtant à des obstacles et obtenant des succès. Face aux problèmes et aux demandes de notre environnement, nous nous adaptons pour survivre, en nous construisant un personnage. Mais, ainsi, nous développons un masque qui s'épaissira et durcira avec les années, camouflant notre nature réelle.

Vient ensuite le moment où nous devons nous regarder en face et faire un choix : poursuivre notre chemin en portant ce masque ou nous libérer de son emprise pour retrouver notre nature profonde. Pour plusieurs personnes, il y a un moment dans la vie où un malaise plus ou moins profond s'installera. Dans certains cas, elles auront alors du mal à être pleinement heureuses, parfois même sans raison extérieure évidente. Elles auront pourtant un conjoint, des enfants, une maison, un bon travail, des vacances… Une belle vie, quoi !

Pour d'autres personnes, une épreuve créera soudainement un déséquilibre. C'est souvent la douleur ressentie qui les motivera à retrouver le centre de l'Être et les amènera à réaliser que le personnage qu'elles se sont forgé durant des années ne correspond pas à leur nature réelle. La personne prendra aussi conscience que les moyens d'adaptation auxquels elle avait recours pour fonctionner dans le passé devront subir des changements.

C'est donc souvent la souffrance qui pousse à entreprendre un travail de cheminement vers soi : une série d'étapes à

franchir, d'expériences à vivre et d'apprentissages à intégrer et à façonner pour les faire siens. Ce processus fait de
transformations successives nous révélera peu à peu notre
réelle identité et nous amènera à vouloir assumer celle-ci
de façon libre et autonome. Ce parcours demande du courage et de la détermination, mais il apporte la récompense
la plus satisfaisante de toutes : une flamme et une liberté
intérieure renouvelées.

Je n'ai pas de recette miracle à proposer pour arriver à destination, mais je crois que certains outils peuvent alléger
la route. Je vous présente donc dès maintenant les alliés
du voyage, ces partenaires fidèles qui vous accompagne-
ront durant votre périple vers votre centre unique. En
somme, chacun de ces alliés représente une partie de vous
à laquelle vous pouvez faire appel pour tendre vers votre
équilibre. Chacun possède les ressources de ces personnages respectifs et peut donc s'en faire des alliés.

Les alliés

À la fin d'un long voyage, trois personnages se rencontrent sur le bord de la mer. Ils se racontent leur grande aventure.

Le premier d'entre eux, reconnu comme un Grand Sage, prend la parole : « Pour moi, au terme de ce périple, l'équilibre intérieur ressemble au mouvement de la mer. La mer existe parce qu'elle est composée de toutes ses vagues et apprécie le mouvement de chacune d'elles. Pour tendre vers l'équilibre, l'être humain doit apprendre à connaître tous les mouvements qui l'habitent et à les accepter, comme une partie intégrante de lui. »

Le second personnage, un Artisan à la dextérité légendaire, enchaîne : « Très cher Sage, pour moi, l'essentiel, c'est que la mer existe simplement par son essence. Elle a été créée par quelque chose de plus grand et elle prend plaisir à être, tout simplement. Il y a aussi la Lune, qui crée le mouvement des marées, et les vents, qui brusquent ou adoucissent le mouvement des vagues de la mer. De toute façon, celle-ci sait trouver son équilibre en réagissant naturellement à ces énergies. Pour tendre vers l'équilibre, l'être humain doit construire son propre bonheur en célébrant la vie et en apprenant à contrôler ses mouvements intérieurs malgré l'effet des forces externes. »

Le Messager, riche de découvertes dans des contrées inexplorées, poursuit l'échange avec son grain de sel : « Chaque être qui vit dans la mer lui envoie des messages différents… La mer se construit à l'aide de toutes les particules qui en font partie. Chaque cellule, coquillage, algue et poisson, petit ou grand, a un effet sur l'équilibre de la mer. Celle-ci se purifie en envoyant ses déchets sur la rive à l'aide du mouvement de ses vagues. L'équilibre de l'être humain s'atteint de la même façon… Il doit déterminer les messages qui l'affectent et se débarrasser de ceux qui bloquent son évolution. »

Maintenant, c'est à votre tour de partir pour votre propre voyage en mer. Vous avez tous en vous un Sage, un Artisan et un Messager. Laissez-les vous guider dans votre périple vers votre équilibre intérieur et entrez en action !

Ce n'est pas la destination mais la route qui compte.

Proverbe gitan

▌ Le parcours du Sage : se connaître et s'apprécier.

▌ L'œuvre de l'Artisan : se responsabiliser face à sa vie.

▌ L'annonce du Messager : se tenir des discours motivants.

Le parcours du Sage

Se connaître et s'apprécier

Le Sage en soi sait que l'équilibre intérieur passe par la connaissance et l'acceptation de chaque mouvement qui l'habite.
Le Sage nourrit l'amour de soi.

Have you forgotten how to love yourself?
(As-tu oublié comment t'aimer ?)

Parole de la chanson Have you forgotten,

Du groupe Red House Painters, Trame sonore du film Vanilla Sky, 2001.

S'aimer, qu'est-ce que cela veut dire au juste ? Comment mesurer réellement l'intensité de l'amour que l'on se porte ? Comment faire grandir ce sentiment complexe ?

La plupart des études sur le sujet démontrent que le niveau d'amour de soi que l'on se porte comme adulte provient de l'enfance[1]. La capacité de s'aimer est donc un des héritages les plus précieux que reçoit l'enfant de ses parents ou de ceux qui prennent soin de lui. Si vous avez ressenti l'amour de vos parents en tant qu'enfant, il vous sera plus naturel de l'éprouver pour vous-même une fois adulte. Si, au contraire, vous n'avez pas été privilégié sur ce plan, vous pouvez apprendre à le faire maintenant.

1. Christophe André et François Lelord traitent du thème de l'estime de soi dans *L'estime de soi : s'aimer pour mieux vivre avec les autres*, Paris, Éditions Odile Jacob, 1999.

S'aimer… Comment fait-on concrètement pour parvenir à s'aimer pleinement ?

 Métaphore

> *C'est le temps que tu as perdu pour ta rose*
> *qui fait ta rose si importante.*

ANTOINE DE SAINT-EXUPÉRY

Imaginons un instant que vous vous rendiez chez le fleuriste et que vous choisissiez une plante pour enjoliver votre environnement. Une fois à la maison, comment en prendrez-vous soin si vous désirez la garder en bonne santé longtemps ? Les soins à lui prodiguer sont à la fois simples et compliqués : vous devrez la nourrir et l'entretenir en lui donnant assez de soleil, mais pas trop, une certaine quantité d'eau et un bon terreau. Vous vous assurerez aussi que la plante se trouve dans un pot qui lui fournit suffisamment d'espace pour que ses racines se fixent solidement mais librement. Enfin, vous la placerez dans un environnement propice à son développement. Ainsi, il y aura de bonnes chances qu'elle s'épanouisse en beauté. En résumé, qu'aurez-vous fait pour obtenir un tel succès ?

Vous aurez fait, de façon régulière, des gestes pertinents et concrets.

Il en va de même pour l'amour de soi. Le Sage commet des actions tangibles et régulières pour nourrir son amour de lui-même et ainsi permettre son plein épanouissement personnel. Malheureusement, la croyance populaire véhicule encore trop souvent le message que s'aimer équivaut à être égoïste. Or, il ne s'agit pas de tomber dans un égocentrisme excessif, qui vous transformerait en « nombril du monde », mais d'apprendre à vous accepter, à vous pardonner et à prendre soin de vous. C'est seulement en étant réellement ouvert à soi et à ses propres besoins qu'il est possible de l'être également aux autres, et ce, de façon authentique.

S'aimer malgré tout, avec ses forces et ses faiblesses, avec sa part d'ombre et sa part de lumière, avec ses succès et ses échecs, avec son passé, son présent et ses idées de projets futurs. S'aimer tel que l'on est, comme une personne unique, qui le mérite et le reconnaît. S'aimer en faisant régulièrement des gestes pertinents et concrets.

 Exercice

Je m'aime beaucoup ou passionnément…

Quels sont les gestes d'amour quotidiens envers vous-même que vous faites déjà ? Énumérez-les dans votre journal de bord.

Exemple : « Je prends le temps de m'offrir de bons déjeuners santé le matin. »

_____

_____

_____

_____

_____

_____

Ces actions démontrent que vous êtes déjà capable de faire preuve d'amour envers vous-même en prenant soin de vous. Bravo ! Continuez tout simplement à appliquer ces actions positives au quotidien.

Par ailleurs, si vous désirez faire grandir cet amour, il serait utile d'ajouter des éléments nouveaux à votre liste d'actions positives et bénéfiques.

Pour y arriver, tentez de répondre à la question suivante.

▸ Quand je m'aimerai davantage, quels signes concrets me le prouveront ?

Tentez de parler de ce qui se produira concrètement et non de ce qui ne fera plus partie de votre vie. Par exemple, au lieu de dire : « Je ne me mangerai plus de junk-food, dites : « Je mangerai chaque jour trois repas, composés de tous les groupes alimentaires. »

Exemple : « Je prendrai une marche de 15 minutes chaque jour. »

_____

_____

_____

_____

_____

_____

Quels sont les autres gestes d'amour que vous ferez ? Sur une feuille de papier ou dans votre journal de bord, notez-en quelques-uns.

Si vous avez de la difficulté à déterminer des gestes concrets liés à l'amour de soi, allouez-vous une période d'observation pour cerner ce que vous êtes en train de faire lorsque vous ressentez un peu plus de bien-être et d'amour pour vous-même.

Une fois que vous aurez créé votre liste d'actions, consultez-la pour choisir régulièrement un nouveau geste à faire. Augmentez graduellement ce nombre d'actions quotidiennes. Amusez-vous avec cette liste, ajoutez-y de nouveaux éléments comme bon vous semble ; expérimentez de nouveaux gestes et observez leurs effets sur votre estime de vous-même et, par conséquent, sur votre bien-être général.

Enfin, notez qu'il vaut mieux que les actions choisies soient simples et faciles à intégrer à vos journées.

Elles ne doivent pas être subies comme un fardeau mais plutôt vécues comme des cadeaux.

Dans votre journal de bord, complétez ce qui suit.

Le premier geste nouveau que je m'offre dans le but de faire grandir l'amour que je me porte est :

Le Sage respecte ses besoins de solitude et de contacts sociaux

La solitude est souvent une chose que les gens craignent. Sans m'attarder aux causes multiples de ce phénomène, je soulignerai ici que la solitude nous demande de faire face à nous-même et à toutes nos facettes, les plus lumineuses comme les plus ombragées. La solitude peut aussi nous obliger à faire face à un malaise intérieur. Pourtant, le Sage sait que cet inconfort est aussi porteur d'informations significatives et que la solitude est une des voies vers soi. Il nous accompagne donc en douceur dans l'apprivoisement de cet espace, où se trouvent également une liberté et un bien-être intérieur.

De façon générale, accepter fondamentalement sa solitude est un travail pour chacun d'entre nous, et l'ampleur de cet apprivoisement dépendra de plusieurs facteurs : notre tempérament, nos besoins, notre vécu, nos habitudes, les expériences de vie qui nous ont conduits à elle, etc.

D'un côté, il y a les gens qui ont un tempérament solitaire depuis l'enfance et pour qui se retrouver régulièrement seuls est une chose normale, nécessaire et même agréable. De l'autre, il y a ceux qui évitent cela à tout prix, le plus longtemps possible ; ils fuient ainsi un contact réel et profond avec la personne la plus importante de leur vie : eux-mêmes.

Ne croyez pas toutefois que je sois en train de vous dire que la solitude est préférable à la sociabilité. Au contraire, plusieurs études ont fait un lien entre la solitude prolongée et une santé physique et affective amoindrie ainsi qu'à une espérance de vie plus courte. Il ne s'agit donc pas de se réfugier dans la solitude, mais plutôt d'utiliser les moments de solitude pour apprendre à mieux se connaître. D'ailleurs, une solitude apprivoisée et assumée peut avoir un impact positif sur la santé. Comme le suggère John T. Cacioppo, directeur d'une recherche sur l'impact de la solitude : « People can improve their health by learning to overcome loneliness[1]. »

Je crois en effet qu'il y a des avantages réels à apprivoiser sa propre solitude, tout comme il y a des effets positifs tangibles à évoluer au sein de réseaux composés de gens que nous apprécions et qui nous estiment.

----

1. « *Les gens peuvent améliorer leur santé en apprenant à surmonter la solitude.* » John Cacioppo, professeur de psychologie et directeur de recherche sur la solitude (Programme « Mind-Body Network » de la Fondation John D. and Catherine T. MacArthur), 2004.

Ainsi, je vois la socialisation et la solitude comme les deux axes d'un pôle, chaque personne étant en mesure de choisir, en fonction de ses besoins du moment, la position qui lui convient le mieux sur cet axe.

Sauriez-vous reconnaître où vous vous situez sur ce pôle à l'heure actuelle ?

Êtes-vous à l'aise à cet endroit spécifique ou aimeriez-vous modifier votre position ?

Sachez qu'il n'existe pas de position idéale sur ce pôle. Il est toutefois possible que vous ressentiez une envie de socialiser ou d'être seul et que vous ne désiriez pas changer cet aspect de votre vie actuellement. Dans ce cas, laissez les choses telles qu'elles sont et faites-vous confiance. Il ne s'agit pas de se créer des problèmes si vous constatez que vous n'en avez pas sur ce plan.

Par contre, si vous souhaitez équilibrer cet aspect de votre existence de façon que vos besoins et vos actions concordent davantage, l'exercice qui suit vous aidera à entreprendre une démarche de changement sur ce plan.

 Exercice

Dans votre journal de bord, reproduisez le graphique du pôle illustré à la page précédente (échelle de 0 à 10). Tracez un petit x à l'endroit où vous vous situez maintenant et un grand X sur le point que vous voudriez atteindre. Le grand X représente votre objectif. Si vous vous situez à 8 et que vous désirez vous rendre à 5, demandez-vous quel serait le premier pas qui vous permettrait de vous déplacer dans cette direction, d'abord à 7,5. En d'autres mots, quel geste concret pourriez-vous faire pour vous rendre à 7,5 ?

Une fois ce « mini-objectif » atteint, poursuivez le même processus pour vous déplacer à 7, et ainsi de suite jusqu'à l'atteinte complète de votre objectif final de 5.

Voici une courte histoire pour illustrer cet exercice.

Histoire de cas

Les samedis de Sophie

Sophie se présente en entrevue chez sa psychologue. Elle a plusieurs objectifs, dont celui de tendre vers un meilleur équilibre sur le plan de ses besoins d'être seule et de socialiser avec les autres. Elle réalise qu'elle recherche beaucoup le contact avec les gens de son entourage, souvent au détriment de ses propres besoins de repos et de détente. De plus, lorsque les circonstances l'empêchent de voir des gens, par exemple parce qu'ils ne sont pas disponibles, elle souffre de sa solitude au lieu d'en profiter pour prendre soin d'elle et pour se ressourcer.

Sur le pôle de la solitude, elle considère qu'elle se situe actuellement à 8 (x).

Son objectif ultime, qui tient compte, entre autres, de ses besoins et de sa personnalité très sociable, est de se rendre à 6 (X).

Tout d'abord, nous déterminons ensemble le premier pas qu'elle peut faire pour passer de 8 à 7,5 : elle passera un samedi soir seule à la maison en disant non à toutes les invitations de sortie qu'elle aura reçues pour ce soir-là. Elle fera seule une activité qui lui fait vraiment plaisir et qu'elle a envie de reprendre depuis longtemps : peindre.

À la rencontre suivante, Sophie mentionne avoir réussi à atteindre son objectif et en est fière. Par la suite, nous déterminons le pas à faire pour se rendre à 7, et ainsi de suite, jusqu'à l'atteinte de son objectif idéal.

Notez à quel point le pas nécessaire pour passer de 8 à 7,5 est réalisable et décrit de manière détaillée. Cette façon de faire est sécurisante et aide la personne à agir puisqu'un plan concret est mis en place.

Dans le cas de Sophie :

Extrême besoin d'être seul					Équilibre entre le besoin d'être seul et le besoin de socialiser				Extrême besoin de socialiser
0	1	2	3	4	5	**6**	7	**8**	9	10
						X		x		

 Réflexion

La solitude et le contact avec les autres sont de puissants outils de connaissance de soi

Voici une liste de questions qui vous aideront à poursuivre votre réflexion sur votre rapport à la solitude et à la socialisation.

▸ Qu'apprenez-vous à votre sujet au cours de vos moments de solitude ? Qu'apprenez-vous sur vous au cours des moments passés en compagnie des autres ?

▸ Comment utilisez-vous votre solitude ? Quels

avantages en retirez-vous? Quelles sont les activités que vous aimez faire seul?

▶ Quelles sont les situations où vous trouvez la solitude plaisante?

▶ En fonction de votre personnalité, vous offrez-vous suffisamment de temps seul? À l'inverse, passez-vous assez de temps en compagnie de vos amis, de membres de votre famille, etc.?

▶ Quels sont les moments où vous aimez être seul? Quelles activités vous plaisent à ce moment-là? À l'inverse, qu'aimez-vous faire en présence de membres de votre famille ou de vos amis?

▶ Avec qui êtes-vous assez à l'aise pour faire tel ou tel type d'activité? Tentez-vous aussi de faire des liens entre les personnes et les moments de la journée ou autres contextes?

À la suite de cette réflexion, que constatez-vous principalement? Utilisez-vous votre solitude et vos contacts sociaux de façon constructive?

Lorsque nous sommes confronté à notre solitude sans qu'il s'agisse d'un libre choix, il est normal de s'ennuyer par moments et de trouver cette situation difficile à vivre. Quand des émotions désagréables remontent à la surface lorsque vous êtes seul, prenez le temps de les vivre et de comprendre le sens qu'elles ont. Elles vous renseignent sur vous-même et sur vos besoins profonds. Elles vous indiquent une direction et vous signalent des éléments qu'il vous reste à mieux saisir.

Apprivoiser une certaine solitude, qui respecte notre personnalité et nos besoins, peut être bénéfique, mais il demeure que les êtres humains sont des êtres sociaux, qui ont besoin de contacts avec les autres pour évoluer pleinement. Accordez-vous aussi le droit de rechercher ces contacts à certains moments.

La solitude ne correspond pas à l'isolement. La frontière entre une solitude profitable et l'isolement est mince. Lors des épreuves dont est parsemé notre chemin de vie, il est parfois tentant de s'isoler, de couper tout contact avec les autres pour mieux se protéger et diminuer les risques de blessure. Il est sain de se reposer, de se ressourcer, de s'occuper de soi. Parfois, une période de recul est nécessaire à l'être qui vit une crise afin qu'il retrouve un équilibre en lui-même. Toutefois, il faut prendre garde de ne pas prolonger cette période trop longtemps, de ne pas se réfugier dans le confort relatif qu'elle peut offrir. En effet, maintes recherches ont démontré que l'être humain qui demeure en retrait de façon continue, isolé du monde extérieur, a tendance à se faire plus de mal que de bien sur le plan psychologique.

Si vous passez beaucoup de temps seul, demandez-vous honnêtement si votre solitude vous est réellement bénéfique ou s'il s'agit plutôt d'un moyen de fuir le monde extérieur.

Si, au contraire, vous êtes très souvent entouré de gens, questionnez-vous sur les causes de cette situation. Est-ce votre réelle nature qui vous porte à être fréquemment en contact avec les autres ou s'agit-il pour vous d'une façon de repousser le moment de la rencontre avec votre Être intérieur ?

L'idéal est de trouver votre équilibre entre le temps passé seul et les moments vécus en présence des autres, en tenant compte de votre individualité, de vos besoins et de votre contexte de vie. Personne d'autre que vous ne peut avoir de vraies réponses à ce sujet. Seul le Sage en vous les connaît.

Le Sage rassemble ses forces pour générer le changement

Un réflexe très répandu chez l'être humain est de porter attention à ce qui ne va pas et aux imperfections de tout un chacun et du monde entier plutôt que de se focaliser sur les qualités de toutes ces entités. Pourtant, ces forces engendrent un pouvoir supérieur, susceptible d'entraîner des changements beaucoup plus puissants.

Soyons honnêtes, nous mettons trop souvent de l'énergie à rappeler leurs lacunes aux gens de notre entourage immédiat, surtout quand nous en subissons les conséquences directes.

Nous agissons de la même manière quand il est question de nos propres comportements et attitudes. Qu'il s'agisse de notre corps que nous tenons pour acquis tant qu'il fonctionne adéquatement ou de notre psyché, nous portons trop souvent notre regard sur nos lacunes plutôt que sur nos compétences et nos habiletés. Il s'agit d'une fâcheuse habitude, qu'il est pourtant assez facile de briser ; il suffit de la remplacer par son contraire, c'est-à-dire de se concentrer plutôt sur les forces en tant que moteur de changement.

Les problèmes occupent une grande part de notre existence. Raison de plus pour cesser de leur donner encore plus d'importance et de pouvoir en dirigeant volontairement notre énergie sur eux ! Je vous invite dès maintenant à changer de lunettes et à chercher des solutions à vos problèmes, pour donner plus de pouvoir à leur résolution. Une des stratégies pour arriver à cela consiste, dans un premier temps, à être conscient de ses forces, de ses aptitudes et de ses compétences personnelles.

Dans l'exercice qui suit, nous porterons une attention aux habiletés, aux talents, aux aptitudes et aux vous un être unique et qui sont essentielles pour générer les changements désirés dans votre vie. Sans les nier, il faut avouer que les imperfections sont généralement mieux connues de chacun (et même trop, dans certains cas !). Nous utiliserons donc nos forces, qui sont, rappelons-le, un moteur efficace lorsqu'il s'agit d'engendrer le changement et d'améliorer notre potentiel. Je vous invite donc, dans l'exercice qui suit, à les déterminer clairement pour ensuite les utiliser de façon créative dans le but recherché.

Exercice

L'énergie déployée par mes forces...

Étape 1

▶ Quelles sont mes forces personnelles ? Quels sont mes qualités, mes talents, mes succès, mes aptitudes ? Je les énumère dans mon journal de bord.

_____

_____

_____

_____

Si vous avez de la difficulté à déterminer vos compétences, planifiez une période d'auto-observation et de réflexion ou questionnez les gens de votre entourage à ce sujet.

Pour vous aider à répertorier vos forces, pensez aux huit types d'intelligence tirés de la théorie d'Howard Gardner. Selon cette théorie, nous possédons tous, à divers degrés, les types d'intelligence suivants.

1. L'intelligence linguistique : aptitude à utiliser le langage pour exprimer des idées.

2. L'intelligence logicomathématique : aptitude à calculer, à résoudre des problèmes mathématiques et à faire preuve de logique.

3. L'intelligence kinesthésique : aptitudes reliées à l'utilisation de son corps et de ses mains pour effectuer un travail.

4. L'intelligence spatiale : capacité à penser, à voir et à créer des images. Sensibilité aux formes, aux couleurs et aux dimensions.

5. L'intelligence musicale : capacités liées à la reconnaissance des rythmes, des mélodies, des sonorités.

6. L'intelligence interpersonnelle : aptitude à entrer en relation avec les autres.

7. L'intelligence intrapersonnelle : capacité de se centrer sur soi et sur son monde émotif.

8. L'intelligence naturaliste : capacité à reconnaître, à classer et à cerner des formes et des structures dans la nature, sous ses formes minérale, végétale ou animale.

Étape 2

▶ Quel est le premier élément de mon attitude, de mon comportement ou de mon contexte de vie que je désire changer ?

Il s'agit maintenant d'élaborer un objectif de changement.

Rappelez-vous que l'automatisme qui vous pousse à vous focaliser sur un problème est normal et que cette habitude, ancrée dans votre fonctionnement depuis des années, ne changera pas instantanément. Laissez-vous du temps…

Dans la formulation de votre objectif, essayez de changer votre perspective en décrivant ce que vous désirez à partir de maintenant, et non ce que vous ne désirez plus. Par exemple, il vaut mieux dire : « J'accepte les cadeaux » plutôt que : « Je vais cesser de refuser ce que l'on m'offre. »

De plus, tentez de formuler l'objectif de façon positive, en évitant tout blâme. Commencez par de petites choses. Comme vous le constaterez, un succès en attire un autre !

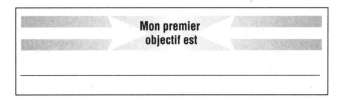

Mon premier objectif est

Étape 3

▶ Quelle est la description de l'action qui servira à mesurer le progrès parcouru (une description observable)?

Une juste description de l'action permet de répondre aux questions suivantes:

▶ Comment est-ce que je vais réaliser les progrès liés à mon objectif?

▶ Quels sont les signes qui me démontreront clairement qu'il y a un changement dans mes comportements ou mon attitude?

Un truc simple pour vous assurer que votre action est décrite avec justesse est de vous demander s'il est possible de percevoir l'énoncé à l'aide de l'un des cinq sens (toucher, ouïe, goût, vision, odorat). Un autre moyen efficace est de vous mettre dans la peau d'un caméraman qui filmerait vos actions. Que verrait-il (gestes, actions, déplacements) ou qu'entendrait-il (discours, ton de voix) sur la pellicule du film de votre vie?

Le film de votre vie à la suite de l'atteinte de l'objectif...

Les signes qui me démontreront clairement le changement sont :

_____   _____

_____   _____

_____   _____

Étape 4

▶ Quels sont les liens entre vos forces et vos objectifs ? En d'autres termes, comment utiliserez-vous les forces mentionnées à l'étape 1 pour atteindre l'objectif décrit à l'étape 2 ?

Dans votre journal de bord, répondez aux questions suivantes.

▶ Les forces que je possède qui peuvent me venir en aide pour atteindre mon objectif sont :

_____   _____

_____   _____

_____   _____

▶ Les liens entre mes forces et mon objectif sont :

_____   _____

_____   _____

_____   _____

Ici, tous les liens sont permis, et vous ne devez pas hésiter à transférer vos compétences d'un domaine à un autre. Quand une force vous habite et qu'elle est efficace dans un secteur de votre vie, c'est qu'elle fait partie de vos connaissances et de vos ressources de réalisation ; elle peut donc être transférée à toute autre partie de votre vie.

Il y a quelques années, j'ai rencontré un homme en entrevue qui me parlait avec passion de la chasse au chevreuil. C'était un expert et il connaissait avec exactitude toutes les étapes menant au succès de cette entreprise : la patience, la ruse, l'adresse, bref, toutes les qualités requises pour la chasse au chevreuil. Or, il ne consultait pas à ce sujet mais pour se remettre, sur le plan émotif, du choc causé par son renvoi de l'entreprise où il avait travaillé pendant de nombreuses années. Il devait se réorienter et songeait avec insécurité à un éventuel retour aux études.

Sans le savoir, il possédait déjà plusieurs des clés pour régler son problème et trouver une solution à sa réorientation de carrière. Il est parti à la chasse aux études et à l'emploi en empruntant toutes les qualités et les forces qu'il possédait déjà. En effet, il a transféré ses compétences d'un domaine connu et maîtrisé (la chasse) aux dimensions qu'il craignait dans le changement voulu. Quelques mois plus tard, il obtenait un diplôme dans un nouveau domaine qui le passionnait et se trouvait un emploi satisfaisant dans ce secteur, en plus de retrouver confiance dans ses capacités et de renouer avec son estime de soi. Sa passion et ses connaissances de la chasse se sont avérées des ressources motivantes pour trouver un emploi et, par le fait même, un équilibre dans sa vie.

Histoire de cas

La patience de Caroline

Cet exemple illustre bien toute l'énergie que les forces peuvent permettre de déployer.

Étape 1

▶ Caroline, quelles sont tes forces personnelles ? Tes qualités, tes talents, tes succès, tes aptitudes ?

— Je suis dynamique, pleine d'énergie ;

— Je suis ouverte aux nouvelles expériences ;

— Je suis organisée et disciplinée sur le plan de mon travail ;

— Je suis généreuse ;

— Je suis une personne créative, qui a des idées originales ;

— J'ai déjà réussi à compléter un diplôme d'études collégiales ;

— Je suis persévérante ;

— J'ai le sens de l'humour ;

— Etc.

Étape 2

▶ Quels sont les éléments de ta personnalité, de ton attitude, de ton comportement, que tu désires changer ? Il s'agit ici d'élaborer un objectif de changement.

Rappel : Évitez les blâmes ou les propos formulés négativement.

Il s'agit donc de formuler le changement désiré positivement, de la façon suivante.

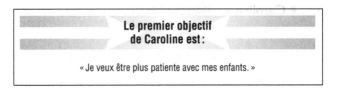

Le premier objectif de Caroline est :

« Je veux être plus patiente avec mes enfants. »

Étape 3

▶ Quels sont les signes qui te démontreront clairement le changement ?

« Je vais respirer profondément ; je vais formuler des consignes claires et me les répéter ; je vais me dire mentalement qu'il est normal que des enfants se chamaillent ; je vais les aider à résoudre leurs conflits, etc. »

Étape 4

▶ Quelles sont les forces que tu possèdes et qui pourraient te venir en aide ?

« Mon sens de l'humour, mon ouverture d'esprit, ma persévérance, mon imagination, ma créativité, ma générosité. »

▶ Les liens entre tes forces et ton objectif sont :

« Mon sens de l'humour m'aidera à voir la situation de façon plus détachée. Mon imagination me permettra de me rappeler mes propres conflits d'enfant avec mes frères et sœurs. Ma générosité me permettra de les aider à résoudre leurs conflits, etc. »

Voyez-vous l'astuce ?

Le Sage sait que vous allez mieux vous épanouir en utilisant les forces déjà existantes à l'intérieur de vous. Il comprend que vous avez tous les outils pour générer les changements désirés et réaliser vos objectifs. De façon générale, rappelez-vous par analogie qu'avec de la créativité, un marteau peut servir à beaucoup plus de choses qu'à simplement enfoncer des clous !

Version originale	Traduction
I keep going round and round	Je tourne en rond
On the same old circle	Sur le même vieux cercle
A wire travels underground to a vacant lot	Un fil voyage sous la terre jusqu'à un terrain libre
Something I can't see	Quelque chose que je ne voit pas
interrupts the current	Interrompt le courant
And shrinks the picture down to a tiny dot	Et rétrécit le tableau jusqu'à un minuscule point
And from behind the screen	Et derrière l'écran
It can look so perfect	Tout peut paraître si parfait
But it's not...	Mais ce ne l'est pas...

EXTRAIT DE LA CHANSON *IT'S NOT*,
D'AIMEE MANN (TIRÉE DE L'ALBUM *LOST IN SPACE*)

Le Sage cerne les schémas répétitifs et développe de nouveaux comportements, plus adaptés

Chaque personne applique des *patterns* de comportement répétitifs à certains moments de sa vie. Selon Hull (1943), « on appelle structure (patterning) d'un stimulus composé l'habitude apprise (learning) à répondre aux combinaisons ou configurations de ce stimulus ».

Il s'agit donc de comportements et d'attitudes apprises qui ont été adaptés à certains moments et contextes de vie, mais qui sont devenus inefficaces car ils ne sont plus adaptés aux conditions de vie actuelles de la personne.

Une différence significative entre un être qui évolue et un être qui stagne sur le plan de son cheminement est la mise au jour de ces *patterns* et le choix de les utiliser comme facteur de changement, c'est-à-dire comme un tremplin additionnel dans la poursuite de son évolution personnelle. À court terme, il est souvent plus facile de ne pas voir ces *patterns* et de continuer à se comporter en les reproduisant encore et encore. En effet, le changement suscite bien souvent des craintes et requiert donc une plus grande dépense d'énergie à court terme.

Il s'agit, encore une fois, d'un choix à faire : décider de continuer à vivre selon ces patterns de comportements, ou changer en développant des façons plus saines de répondre aux défis que vous lance la vie. Il y a des façons simples de déceler ces *patterns*. Ensuite, il s'agira de les briser afin de permettre aux nouveaux comportements, plus adaptés à votre réalité actuelle, d'apparaître.

Réflexion

Je sors de l'engrenage… !

Dans votre journal de bord, répondez aux questions suivantes pour cerner les patterns répétitifs présents dans votre vie. Encore une fois, évitez les blâmes et les accusations. Il n'est pas question de se juger mais plutôt de s'auto-observer.

▶ Quelle situation déplaisante pour vous se reproduit de façon répétée ?

_____

_____

_____

Il se peut qu'aucune réponse ne se présente à vous spontanément. Dans ce cas, permettez-vous une période de réflexion.

▶ Quelle situation nouvelle attire le Sage en vous pour briser cet engrenage ?

_____

_____

_____

▶ Que feriez-vous de différent si vous étiez confiant que vous êtes capable de changer pour le mieux ?

_____

_____

▶ Quel est le premier pas que vous pouvez faire dans cette direction ?

_____

_____

_____

Sachez donner de la place au Sage en vous. Cette « petite voix » qui a davantage confiance en ses capacités et désire un sort plus positif pour vous a le droit d'exister, de prendre sa place. Il ne s'agit souvent que de faire un premier pas, si minime soit-il, dans une direction différente pour modifier notre destination.

 Histoire de cas

L'essoufflement de Martin

Martin, âgé de 37 ans, se présente en entrevue. Il est en arrêt de travail pour épuisement professionnel, et ce, pour la deuxième fois depuis le début de sa carrière.

Son pattern est le suivant : chaque fois qu'il s'est rendu jusqu'à l'épuisement, il a cessé de travailler, s'est reposé, a pris du temps pour voir les gens qui lui sont chers et reprendre des activités qui le valorisent, a pris du mieux et a recommencé à travailler, d'abord à temps partiel puis, graduellement, à temps plein. Trouvant cette situation exigeante et ayant peur de se fatiguer à nouveau, il a diminué ses temps de loisirs et a commencé à « couper » les rencontres sociales avec les amis. Ensuite, il a recommencé à prendre de l'avance sur les dossiers du bureau en apportant parfois du travail à la maison le week-end. Il a donc négligé de consacrer du temps aux activités qui l'aident à se ressourcer et a plutôt pris une plus grande charge de travail. Graduellement, il a épuisé son énergie à nouveau et s'est retrouvé, une fois de plus, en arrêt de travail pour épuisement professionnel. Cette situation s'est reproduite de façon répétée dans sa vie depuis dix ans. (Ouf! Le simple fait d'écrire cette séquence m'essouffle!)

Après avoir cerné cette roue répétitive sur le plan de ses comportements, Martin a réalisé que chaque fois, il sentait pourtant qu'il lui était nuisible de recommencer à apporter du travail à la maison puisqu'il négligeait ainsi ses temps de loisirs. Le fait de voir des amis et de s'occuper à ce qui lui plaît dans ses temps libres le ressource même s'il doit y consacrer de l'énergie. Il convient donc qu'il doit rester dans un engrenage sain s'il veut éviter de retomber continuellement dans le pattern qui le mène à l'épuisement. Il a maintenant confiance qu'il peut préserver ce type de comportement qui lui évite de retourner à nouveau vers une lente descente vers l'épuisement. Il affirmera dorénavant cette réalité dans sa vie et auprès de ses proches, et s'assurera de faire des gestes concrets, de façon régulière, dans cette direction.

Le Sage utilise les écarts pour mieux avancer

Chaque situation nouvelle, chaque problème à résoudre porte en lui l'opportunité rare d'apprendre quelque chose de nouveau.

OLIVIER LOCKERT, *psychologue et auteur français*

Un petit enfant d'un an fait ses premiers pas en trébuchant régulièrement. Comment de bons et aimants parents le traitent-ils quand il chute ? Avec douceur et encouragement, ou en le dégradant et en le traitant d'incompétent ? Ils le consolent et valorisent ses succès, bien sûr, avant de lui dire de reprendre courageusement son aventure. L'enfant prend ainsi confiance en lui et poursuit son apprentissage de la marche.

Il en va de même pour vous et pour vos apprentissages, qu'il s'agisse de comportements ou d'attitudes. Le Sage en vous sait se traiter avec douceur et compréhension face à une « chute » dans vos apprentissages. C'est à travers ses expériences que l'être humain apprend et s'adapte pour devenir meilleur chaque fois. Gardez toujours en tête que vous êtes en situation d'apprentissage.

Dans le parcours qui mène à une meilleure connaissance et à un amour plus profond de soi, les progrès ne se produisent pas toujours de façon linéaire. Il est donc important de se donner le droit à l'écart. D'ailleurs, notez bien que je n'emploie pas le mot erreur mais bien écart ou chute, car le fait de s'éloigner temporairement de son objectif ne constitue pas une erreur en soi. Cela s'avère plutôt une occasion de plus d'apprendre sur soi et sur les moyens de mieux se porter et de s'accomplir.

En effet, ces instants d'écart ou ces chutes sont susceptibles de nous renseigner sur plusieurs plans. Lorsqu'un écart survient, une analyse juste de ce qui l'a produit peut suffire à nous faire avancer sur le chemin de l'évolution, comme vous permettra de le constater l'exercice de réflexion qui suit.

Réflexion

Après une chute dans mes apprentissages, je me pose les questions suivantes.

▸ Qu'est-ce que je fais habituellement, qui s'avère efficace et que j'ai oublié de faire cette fois-ci ? En d'autres mots, quel outil habituel et efficace ai-je laissé de côté ou oublié d'utiliser cette fois-ci ?

▸ Lors de la chute, quelle émotion ou quel besoin ai-je ignoré en moi ?

▸ En agissant différemment, quels avantages en ai-je retirés ? Quelles ont été les conséquences réelles de ce choix?

▸ Après la chute, quel geste puis-je appliquer pour me démontrer que j'éprouve de l'amour envers moi même si j'ai vécu cet écart?

▸ Comment puis-je me prémunir éventuellement d'une chute semblable?

De façon générale, rappelez-vous que, dans tout apprentissage ou processus de changement, il est normal de vivre des écarts, mais que, grâce à une réflexion appropriée, s'éloigner temporairement de son objectif permettra de mieux s'en rapprocher par la suite.

Le changement, même lorsqu'il est fortement désiré, s'avère souvent difficile, et il faut beaucoup de persévérance pour atteindre et maintenir un objectif dans le temps. Il est parfois tentant de se réfugier dans ses mécanismes de comportements connus, tout comme on a parfois le goût de remettre ses pieds dans ces anciennes pantoufles pourtant trop usées, trouées et qui nous nuisent au lieu de nous rendre service!

Après un écart, tentez de comprendre ce qui est arrivé tout en évitant de vous blâmer et de vous laisser ronger par la culpabilité, qui n'aide en rien la plupart du temps.

En effet, sachez vous pardonner ces écarts et ayez plutôt de l'empathie envers vous-même, puisque vous êtes en situation d'apprentissage. Par la suite, vous pourrez utiliser ces moments pour mieux vous observer et en savoir davantage sur vous-même ainsi que sur les outils efficaces pour atteindre l'objectif visé.

La chute est utile car elle vous renseigne sur ce que vous avez oublié de faire et qui fonctionnait auparavant.

Le changement se produit selon la courbe illustrée au diagramme A (voir à la page 69). Notez que, globalement, il y a progression constante et atteinte de l'objectif même s'il y a des moments d'écart ou de chute (représentés par les flèches courbées descendantes).

Dans ma pratique de psychologue, j'ai noté à plusieurs reprises que le simple fait d'expliquer la courbe du changement a aidé plusieurs clients. La compréhension de cette évolution normale du changement encourage à persévérer dans les moments plus difficiles. En effet, il est apaisant de savoir que les situations de chute sont inévitables dans tout processus de changement et qu'elles ne sont pas causées par de la lâcheté.

Voici une courte histoire de cas pour illustrer mieux ce phénomène et ses effets positifs.

Histoire de cas

Les présentations de Catherine

Catherine, une femme professionnelle dans la jeune quarantaine, arrive en consultation en se plaignant d'être « toujours anxieuse ». Ensemble, nous cernons d'abord les contextes spécifiques qui la rendent anxieuse. Par la suite, nous observons encore davantage la situation et arrivons à distinguer des moments où elle se sent plus calme.

À partir de là, elle se fixe un premier objectif personnel de changement :

▶ Être plus calme les jours où elle doit présenter oralement des projets devant ses collègues.

Les signes concrets qui lui démontreront qu'elle est plus calme sont :

▶ Elle respirera de façon régulière et détendue lors de sa présentation ;

▶ Elle dormira une nuit de sept à huit heures au minimum la veille de sa présentation ;

▶ Elle aura un contact visuel direct avec les collègues participant à sa présentation ;

▶ Elle sera capable de présenter son sujet en entier en ayant un débit qui rendra ses propos compréhensibles et clairs. Ainsi, ses collègues en saisiront l'essence (ce qu'elle vérifiera auprès d'eux).

Enfin, nous abordons les moyens qu'elle connaît déjà et d'autres qu'elle expérimentera d'ici notre prochaine rencontre afin d'arriver à se rapprocher de l'objectif ciblé.

Catherine quitte alors le bureau et fixe un rendez-vous pour deux semaines plus tard (au lendemain de sa prochaine présentation).

Au second rendez-vous, la cliente est enchantée et fière d'elle : sa présentation s'est déroulée à merveille. Elle a pu observer tous les signes concrets liés à l'atteinte de son objectif, et les moyens utilisés (méditation ; parler à sa meilleure amie de son stress ; prendre un bain avant d'aller se coucher la veille, etc.) ont permis cette réussite.

Toutefois, lors de la présentation subséquente, le tableau ne se déroule pas de manière aussi positive pour Catherine. Elle bafouille et se sent tellement consciente du stress de la situation qu'elle perd le fil de son sujet et évite le contact visuel avec les participants. Son niveau d'anxiété s'en trouve exacerbé à nouveau.

Lors du début de l'entrevue suivante, elle se dit découragée, se sent lâche et sans contrôle sur son anxiété. Elle est pessimiste face à cette rechute.

L'explication de la courbe du changement et des chutes qui en font partie lui permettent de se déculpabiliser en acceptant la situation vécue. Je l'invite à cerner ce qui a été différent pour elle dans les journées précédant la dernière présentation (en comparaison avec ce qui s'était produit avant la première expérience positive).

Cerner le contexte spécifique lui redonne du pouvoir sur la situation. Elle reconnaît qu'elle a négligé de prendre son bain et de méditer la veille du jour J. Elle en vient à déterminer ce qu'elle a oublié de faire pour se prémunir de l'anxiété ainsi que les besoins qu'elle n'a pas reconnus en elle à ce moment-là.

Cette réflexion lui permettra d'être en mesure d'agir plus efficacement et d'appliquer les outils adéquats quand une situation similaire se reproduira dans le futur. Ainsi, Catherine réalise qu'elle a bel et bien progressé et qu'elle continuera de se rapprocher graduellement de son objectif ultime.

Version originale	**Traduction**
Strange	Étrange
Don't you think I'm looking older?	Ne crois-tu pas que j'ai l'air plus vieux ?
But something good has happened to me	Mais quelque chose de bon m'est arrivé

Change is a stranger   Le changement est un étranger

You have yet to know.   Que tu as avantage à connaître.

Extrait de la chanson Older, *de* George Michael

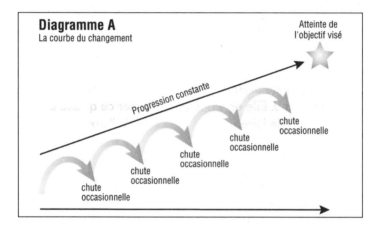

Les écarts, s'ils sont abordés de manière constructive, peuvent devenir des outils de changement. Tout dépend du regard que l'on pose sur le moment de la « chute ». Utiliser ses écarts et même s'en permettre de temps en temps suffit parfois à diminuer l'intensité de la situation problématique.

En résumé, le Sage en soi comprend que le changement ne se produit pas de façon linéaire. Lorsqu'on croit qu'il s'effectue en ligne droite ascendante, on est souvent découragé et on est porté à abandonner tout effort puisque l'on croit que notre méthode est complètement inutile. Pourtant, les « chutes » peuvent être une source importante d'information ; lorsqu'on les utilise de façon stratégique, elles nous indiquent ce qu'on a fort probablement oublié de faire pour mieux nous porter. Gardez en tête cette courbe lorsque vous cheminez et rappelez-vous que, somme toute, vous avancez… même lorsque vous avez le sentiment de reculer.

Le Sage accepte l'inconfort lié au changement

📖 Métaphore

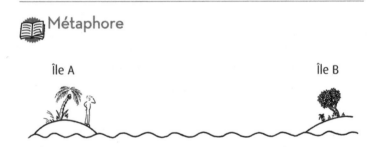

Île A   Île B

Vous habitez sur l'île A depuis longtemps, assez longtemps pour bien la connaître et savoir où vous procurer des poissons, des fruits, un gîte et tout ce qui vous assure sécurité et confort. Un bon jour, vous vous levez et vous commencez à vous ennuyer. Vous scrutez donc l'horizon et apercevez, au loin, l'île B. Elle attire votre attention et attise votre curiosité, si bien que vous avez envie de partir à l'aventure pour aller la découvrir. Mais rapidement, des peurs, des doutes et des questionnements vous assaillent : Il y a toute une mer à traverser à la nage avant d'y arriver... Des requins pourraient vous attaquer... Vous feriez probablement une erreur en quittant l'île A, que vous connaissez si bien et qui vous apporte déjà beaucoup... Est-ce que l'île B sera aussi agréable ? Est-ce que des dangers vous y attendent ? Alors, vous changez d'idée et décidez de vous contenter de l'île A et d'oublier que vous avez aperçu l'île B. Cela fonctionne pendant un certain temps. Vous vous remettez à profiter des avantages apportés sur ce continent... jusqu'au jour où vous réalisez que vous n'êtes pas vraiment heureux. Le souvenir de la vision de l'île B revient vous hanter. Vous retournez sur le bord de la mer pour l'apercevoir à nouveau. Vous aimeriez tant avoir le courage de sauter à l'eau et de vous y rendre malgré les risques et les peurs.

Deux choix s'offrent à vous : vous convaincre que l'île B serait dangereuse et que vous n'y seriez pas confortable de toute façon, ou décider de prendre le risque de plonger et de vous rendre à l'île B sans regarder derrière, sans cesser de nager, avec les risques, les peurs et les questionnements que cela comporte.

Alors, vous décidez que l'île B en vaut la peine : vous prenez une grande respiration et vous plongez. Au début, l'eau est un peu froide mais, rapidement, vous vous acclimatez. Vous nagez et nagez, et les requins que vous aviez imaginés ne viennent pas vous menacer. Le courant vous pousse dans la bonne direction, le soleil vous réchauffe agréablement, l'énergie s'empare déjà de vous en même temps que les doutes disparaissent à chacun de vos mouvements de bras et de jambes.

Vous arrivez à l'île B avec une telle fierté ! Vous avez persisté malgré la zone d'inconfort, et la récompense vous attend : l'île B est magnifique, vous commencez à l'explorer avec fougue et l'espoir vous habite à nouveau.

Le Sage sait que tout changement se produit de la même façon que dans cette métaphore... Il est normal de traverser une zone d'inconfort lorsque nous vivons un changement. Faut-il s'empêcher d'avancer à cause des peurs et des questionnements, et attendre que ceux-ci disparaissent complètement de nos préoccupations avant d'agir ?

Ne vaut-il pas mieux accepter cette zone d'inconfort comme faisant partie intégrante de tout processus de changement et avancer malgré nos peurs, nos doutes et nos questionnements ?

Cible

Le parcours du Sage

Se connaître et s'apprécier

La mer existe parce qu'elle est composée de toutes ses vagues et apprécie le mouvement de chacune d'elles.

Résumé des actions à entreprendre :

- Je nourris l'amour que j'éprouve pour moi-même ;

- Je dirige mon énergie vers mes forces pour favoriser les changements désirés ;

- J'équilibre mes besoins de solitude et de contacts sociaux ;

- Je me donne le droit à l'écart et j'utilise la « chute » pour mieux me comprendre.

- J'accepte l'inconfort lié au changement.

Dans votre journal de bord, répondez à la question suivante. En ce qui concerne les actions qui pourraient vous aider à vous connaître et à vous apprécier, que retenez-vous principalement ?

_____

_____

_____

En faisant un lien avec les principes énoncés précédemment, résumez les actions observables et mesurables que vous pourriez poser à partir de maintenant.

_____ _____ _____

_____ _____ _____

_____ _____ _____

L'œuvre de l'Artisan

Se responsabiliser face à sa vie
L'Artisan en soi construit son propre bonheur en
célébrant la vie et en apprenant à contrôler ses
mouvements intérieurs malgré l'effet des forces
extérieures.

La vie est le matériau brut. Nous sommes les artisans. Nous pouvons faire de notre existence quelque chose de magnifique ou d'affreux. Notre destin est entre nos mains.

Cathy Better

Devenir l'Artisan de sa propre vie ; comprendre que tout part de nous et que nous sommes, par conséquent, le principal responsable de notre bonheur. Voilà un apprentissage primordial, qui ouvre de multiples portes.

L'Artisan en soi considère que se responsabiliser face à sa propre vie est une philosophie qui engendre une façon d'être précise, qui se traduit par des pensées, des émotions et des actions.

Nous allons maintenant aborder les moyens concrets, c'est-à-dire les outils que possède l'Artisan pour vivre selon cette idéologie. En effet, des actions concrètes posées au quotidien peuvent augmenter le degré de responsabilité que l'on possède sur sa vie.

L'Artisan répond à ses propres besoins

L'artisan qui se prépare à effectuer un travail planifie d'avance le matériel, l'environnement, le temps nécessaire et tout autre aspect requis pour effectuer son œuvre efficacement. En somme, il sait cerner ses besoins particuliers et connaît les façons d'y répondre.

Abraham Maslow a élaboré une théorie illustrée sous la forme d'une pyramide, qui exprime (voir l'annexe 1, à la page 153) l'idée que l'être humain possède des besoins de différents ordres et qu'il existe une hiérarchie dans leur satisfaction. En résumé, sa théorie aborde le principe selon lequel nous devons répondre à nos besoins de base (manger, boire, dormir, être en sécurité, etc.) avant d'agir en fonction des besoins d'un ordre plus élevé, comme l'amour ou l'accomplissement de soi.

Ainsi, une personne qui se préoccupe de savoir si elle a suffisamment mangé aura probablement, et de façon légitime, davantage de difficulté à s'intéresser à améliorer le niveau d'amour de soi qu'elle se porte ou à élaborer un projet pour venir en aide aux autres, par exemple.

Quand nous sommes enfant, nos parents répondent en général à nos besoins physiologiques et, quand nous sommes privilégié, ils comblent aussi nos besoins d'ordre affectif (être aimé et rassuré dans nos peurs). Nous grandissons alors avec de bons outils pour fonctionner et nous adapter aux exigences de la vie. Dans ce cas, l'Artisan en nous apprendra dès le début les actions efficaces pour mener à bien la réalisation de notre œuvre.

Toutefois, il arrive que nous arrivions à l'âge adulte en ignorant comment prendre soin adéquatement de tous nos besoins. Le premier réflexe, dans ce cas, consistera à se tourner vers les autres pour demander de l'aide. Il est vrai que notre entourage pourra s'avérer utile à la satisfaction de plusieurs besoins, mais dans certains cas, il y aura des limites à cela. L'adulte, pour être pleinement heureux et s'accomplir individuellement, a donc avantage à apprendre à répondre prioritairement à ses propres besoins.

📖 Métaphore

La sagesse se nourrit selon ses besoins, guidée par autrui mais libre de toute dépendance.

LAURENCE E. FRITSCH

Je vais maintenant faire appel à votre imaginaire pour illustrer certains principes liés à la satisfaction des besoins. Imaginez que votre Être intérieur est un puits contenant de l'eau.

Ce puits possède un fond, qui a deux positions possibles :

1. la position ouverte ;

2. la position fermée.

Que se produit-il avec l'eau du puits si le fond est ouvert ? Il est évident que l'eau passe tout droit et que le puits se vide même si l'eau le pénètre sans cesse, n'est-ce pas ? Demander aux autres de répondre continuellement à vos besoins équivaut à garder le fond ouvert. Résultat : l'eau s'écoule au fur et à mesure qu'elle pénètre dans le puits. Cette opération est donc totalement inefficace.

Il est vrai que faire appel aux autres pour satisfaire ses besoins engendre moins d'efforts et procure un apaisement à court terme. Cependant, à long terme, le vide se fait sentir à nouveau, avec l'impression de n'être jamais vraiment comblé ni satisfait, de la même façon que l'eau s'écoule au fur et à mesure qu'elle entre dans le puits. Par exemple, quand vous réclamez à votre entourage de deviner et de calmer vos états d'âme, cela crée l'illusion que le fond est en place. Or, il s'agit d'une fausse conception de la réalité. En effet, dans un tel cas, même si votre entourage vous « remplit d'eau » par sa présence et ses attentions, cet état de bien-être ne sera souvent que temporaire. Si, au contraire, la base du puits est présente, celui-ci aura la capacité d'accueillir de l'eau et d'en maintenir le niveau. En fait, il n'y a que vous qui puissiez efficacement doter le puits d'un fond en cernant vos propres besoins et en y répondant. Dans ce cas, si les autres sont dans l'incapacité de donner ou sont absents de votre entourage pour un certain temps, vous ne ressentirez pas un vide profond, car vous saurez vous assurer d'avoir une quantité d'eau satisfaisante dans votre puits.

L'Artisan a un devoir : forger la base du puits et la maintenir continuellement dans un bon état de façon à assurer en tout temps un niveau d'eau minimal. Alors, vous vous sentirez rempli de votre propre énergie, et les attentions que les autres ont pour vous deviennent des cadeaux et non des éléments essentiels à votre bien-être.

Certains sont probablement en train de se dire : « Oui, mais il m'est impossible de répondre à tous mes besoins ! Je ne peux pas m'offrir de la tendresse physique, par exemple. » Il est vrai que les autres nous aident à répondre à certaines catégories de besoins, je ne dis pas le contraire. En effet, nous sommes des êtres sociaux, qui ont grandement besoin de contacts avec les autres. Cependant, nous attendons parfois de leur part des choses qu'il est possible de s'apporter d'abord à soi. Ce qui est ensuite apporté par l'entourage devient ainsi un cadeau, un bonheur additionnel.

Afin de répondre à ses propres besoins personnels, il faut d'abord les cerner clairement. L'exercice suivant vous y aidera. (Reproduisez le tableau dans votre journal de bord.)

 Exercice

On connaît mieux un homme quand on connaît ses besoins.

Extrait de *La ligne verte*, de Stephen King

J'entretiens mon puits

Des façons saines de répondre à mes besoins

▶ Dressez une liste de vos besoins, que ce soit ceux de base ou les besoins secondaires (colonne 1). Il peut être utile de se référer à l'annexe 1 (pyramide de Maslow), à la page 153, afin de préciser ses besoins dans tous les secteurs.

▶ Dans la colonne 2, faites une liste de tous les moyens que vous utilisez déjà pour répondre à ces besoins et qui se sont avérés efficaces pour vous.

▶ Dans la colonne 3, faites la liste de tous les nouveaux moyens que vous seriez curieux d'expérimenter.

▶ Enfin, dans la colonne 4, voyez comment les moyens

qui sont selon vous les plus équilibrés et les plus efficaces pourraient prendre la forme d'actions concrètes, à appliquer dès maintenant.

Décrivez ces actions dans des termes mesurables et observables. Pour commencer, élaborez de petits objectifs.

De façon générale, répondez à la question suivante : « Comment est-ce que je saurai que j'ai vraiment appliqué les moyens choisis » ?

Colonne 1 Mes besoins	Colonne 2 Moyens connus	Colonne 3 Moyens à expérimenter	Colonne 4 Actions
Besoins physiologiques Exemples : manger ; boire ; dormir.	Exemple : bien s'alimenter	Exemple : faire plus d'exercice.	Exemples : manger trois repas par jour ; dormir huit heures par nuit.
Besoins liés à l'exploration, à la sexualité Exemple : avoir des relations sexuelles exploratoires.			

Colonne 1 Mes besoins	Colonne 2 Moyens connus	Colonne 3 Moyens à expérimenter	Colonne 4 Actions
Besoins de stabilité Exemple : avoir un revenu qui assure les dépenses de base.			
Besoins liés à l'appartenance et à l'affectivité Exemple : recevoir des marques d'affection.			
Besoins liés à l'estime de soi Exemples : avoir un poids santé ; connaître les nouvelles découvertes reliées à son secteur d'emploi, etc.			
Besoins esthétiques et cognitifs Exemples : apprendre de nouvelles choses ; vivre dans un environnement qui nous plaît.			

Colonne 1	Colonne 2	Colonne 3	Colonne 4
Mes besoins	Moyens connus	Moyens à expérimenter	Actions
Besoins liés à l'actualisation de soi Exemples : avoir un projet à réaliser (écrire un livre, une chanson) ; se sentir en paix avec soi-même.			

À partir de maintenant, intégrez dans votre quotidien les actions élaborées dans la colonne 4. Allez-y graduellement et essayez de nouvelles choses. Vous verrez ce qui fonctionne pour vous. De temps en temps, substituez une de vos anciennes façons de faire à une nouvelle, juste pour voir... Vous pourriez être surpris des résultats.

S'il vous est difficile, pour une raison ou pour une autre (le manque de temps est un motif fréquent), d'appliquer ce principe, débutez par une simple action quotidienne, que vous ferez réellement pour vous, car vous aimez cela, et non pas « parce qu'il faut le faire ».

D'ailleurs, l'expression « il faut » devrait être remplacée par « je veux », « j'ai besoin » ou « j'aimerais ». Cela peut être de prendre un bain chaud, de parler à un ami, de jouer un instrument de musique, de lire, de se promener dans un parc, etc. L'important n'est pas la durée de l'action mais bien l'esprit dans lequel vous baignez quand vous vous l'offrez. Il s'agit d'un geste d'amour envers vous. S'aimer est un apprentissage. Agir concrètement au quotidien procure une base solide à notre puits intérieur.

Prenez aussi l'habitude de vous demander régulièrement : « Qu'est-ce qui se passe en moi en ce moment et de quoi ai-je réellement besoin ? » Cela ne signifie pas que vous agirez toujours immédiatement pour répondre au besoin déterminé. Mais, au moins, vous développerez graduellement l'habitude de reconnaître ce qui se passe en vous. Vous prendrez soin de ce besoin ultérieurement, quand le temps ou la situation le permettra.

L'être humain a besoin de ressentir de l'amour pour être heureux. S'il commençait par lui-même, il gagnerait un temps fou et profiterait d'une énergie dynamisante.

L'Artisan équilibre les sphères de sa vie

Le repos

Si la vie et le travail
Nous poussent constamment dans le dos,
Il ne faut pas oublier de ranger la bicyclette
Pour se reposer un peu

Prendre un peu de recul
Pour mieux apprécier la vie
La nature
Les autres
Et tout ce qui nous entoure.
En un mot : « Gare à l'essoufflement ! »

PIERRE-Y. LÉTOURNEAU (15 AOÛT 1998)

Mon père m'a écrit ces propos touchants au verso de cette magnifique photo d'une vieille « bécane », prise au cours d'un de ses voyages en Europe. C'est à 54 ans, quelques mois avant sa mort, que cet homme avait cette réflexion et m'écrivait ces paroles que je chéris toujours. Elles sont pour moi comme une sorte d'avertissement de sa part, m'invitant à ne pas répéter ce qu'il regrettait peut-être un peu à la fin de sa vie, soit d'avoir trop couru et de ne pas avoir assez profité de certains domaines de l'existence.

Pourquoi attendre la retraite, la promotion, l'été prochain, la rencontre de l'âme sœur ou quoi que ce soit d'autre avant de profiter de façon plus équilibrée de toutes les sphères de sa vie ?

L'Artisan en soi a la responsabilité d'équilibrer l'énergie investie dans chacun des domaines de sa vie. Les sphères de vie principales dans la vie d'une personne sont :

▶ Les contacts avec les amis et la famille.

▶ Le travail

▶ La vie amoureuse (l'amour de soi aussi !)

▶ La santé (physique : exercice, alimentation, sommeil, et psychologique : émotions)

▶ Le jeu (loisirs et créativité)

▶ La spiritualité

Imaginez que ces six sphères de votre vie ont la forme de ballons gonflés à l'hélium ou à l'air chaud. Telles des montgolfières, elles ont la capacité de vous soulever et de vous transporter sur votre chemin.

Soyons « logicomathématique » pour un instant : en tant qu'être humain, le maximum d'énergie qu'il nous est possible de fournir de façon réaliste est 100 %. Or, plusieurs personnes roulent à 200 %, jusqu'au moment où elles s'écroulent de fatigue. La capacité saine à investir sur le plan de l'énergie est donc de 100 %. En répartissant également ce 100 % dans les six sphères, nous obtenons pour chacune d'elles une capacité de 16,66 %.

Bien entendu, la vie n'est pas aussi logique et mathématique, et il serait difficile de mesurer nos investissements d'énergie quotidienne de cette façon. Toutefois, il est possible de sentir à quel point nous nous engageons dans les différents domaines de notre vie, et nous pouvons y apporter des changements pour atteindre un meilleur équilibre.

Réflexion

Les ballons de ma vie…

Actuellement, de quelles dimensions sont vos ballons de vie ? Dans votre journal de bord, dessinez, dans un encadré comme celui ci-dessous, la grandeur de chacun d'eux :

▶ Le ballon des contacts avec les amis et la famille

▶ Le ballon du travail

▶ Le ballon de la vie amoureuse (l'amour de soi aussi !)

▶ Le ballon de la santé (physique : exercice, alimentation, sommeil, et psychologique : émotions)

▶ Le ballon du jeu (loisirs et créativité)

▶ Le ballon de la spiritualité

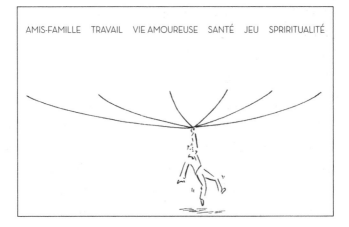

AMIS-FAMILLE   TRAVAIL   VIE AMOUREUSE   SANTÉ   JEU   SPRIRITUALITÉ

comme le travail (pour beaucoup de gens de notre société, cela demeure la sphère qui est la plus souvent investie, malheureusement au détriment des autres…), et cela correspond à un besoin réel. Sachez reconnaître votre choix de façon éclairée et en assumer les conséquences.

Je désire ajouter un dernier point à ce sujet. Dans toute recherche d'équilibre, il est fréquent d'avoir à expérimenter les deux extrêmes avant d'arriver à atteindre le centre. En effet, il y a souvent une période dans la vie où une sphère prend quasiment toute la place, laissant par conséquent peu d'espace aux autres. Si vous croyez que c'est le cas pour vous, sachez que le fait d'expérimenter une position extrême et ses conséquences éventuelles peut permettre de faire un choix plus éclairé par la suite. En effet, on mesurera mieux l'impact d'une telle décision sur les autres sphères de sa vie et donc sur son équilibre en général.

Le destin n'est pas une question de chance.
C'est une question de choix :
il n'est pas quelque chose qu'on doit attendre,
mais qu'on doit accomplir.

WILLIAM BRYAN

Quelques astuces pour équilibrer ses ballons de vie

▶ Faites preuve de stratégie !

Parfois, il est difficile de concevoir que l'on puisse ajouter des activités à notre horaire déjà si chargé. Néanmoins, on peut combiner une action déjà présente dans une sphère de vie à une autre action simple dans une sphère qui est plutôt négligée. Par exemple, si vous notez que votre sphère relationnelle souffre d'une carence, pourquoi ne pas vous faire de nouveaux amis et créer des liens dans le cadre de vos loisirs déjà existants ? Par exemple, il pourrait s'agir, tout simplement, d'aller parler à quelqu'un à votre cours de danse et de l'inviter à prendre un café. Ainsi, vous pourrez tirer davantage de bénéfices des choses déjà en place dans votre vie si vous les considérez de manière créative.

▶ Ajoutez ce qui manque et prenez un engagement envers vous-même !

Observez bien vos six ballons ; dans lequel ou lesquels aimeriez-vous investir davantage ? Quelle est la prochaine action concrète que vous ferez en ce sens ?

Tentez de cibler une action que vous vous sentez capable de faire. Il est préférable de formuler un petit objectif et de l'atteindre que de viser trop haut et de se décourager à la suite d'un échec. Il vaut mieux obtenir un petit succès qu'un grand échec.

Une fois que vous avez déterminé des actions observables et mesurables, remplissez un contrat[1] avec vous-même pour vous assurer de les mettre en place concrètement. Encore une fois, vous ne devez surtout pas vous en demander trop à la fois. Il vaut mieux apporter de petits changements graduels et s'y tenir que d'exiger trop de soi-même, puis d'abandonner et d'éprouver un sentiment d'échec paralysant. Assurez-vous donc de choisir des actions que vous vous sentez vraiment capable de faire.

Par exemple, dans le domaine des loisirs, je peux décider de faire plus de sport. En formulant mon objectif de la façon suivante : « Je vais courir tous les matins pendant 30 minutes », je risque d'abandonner rapidement, car je n'ai pas tenu compte du fait que je ne suis pas une personne très matinale et du manque de spontanéité lié à l'action demandée. Je dois donc tenter de formuler mon objectif de façon à répondre à mes besoins réels et à mon type de personnalité. Il y aura plus de chances que je poursuive mon objectif si je le décris de la façon suivante : « Deux fois par semaine, pendant des périodes de 30 minutes, je ferai soit de la marche rapide, soit du jogging, selon ma forme à ce moment-là. »

▶ Observez les autres et expérimentez de nouvelles choses

---

1. À l'annexe 3, vous trouverez un exemple de contrat que vous pouvez remplir pour vous engager envers vous-même.

On se demande parfois comment procéder pour investir davantage dans une sphère de notre vie. N'hésitez pas à explorer de nouvelles avenues et à oser des activités différentes. Observez les gens autour de vous pour voir comment ils procèdent et laissez-vous inspirer par eux. Avec l'expérience, vous serez mieux en mesure d'évaluer si ces actions vous conviennent et si vous voulez les intégrer dans votre style de vie.

▶ Faites des réalités de vos rêves

Avez-vous déterminé clairement vos rêves et savez-vous comment les rendre réels, comment leur donner vie ? Vous avez toujours le choix de garder vos rêves sur le plan de l'imaginaire, mais il est aussi de votre ressort de faire des gestes concrets pour vous en rapprocher. Ici encore, la loi du petit pas concret et régulier vous aidera à faire du rêve une réalité. Souvent, en imaginant le rêve et son accomplissement final, on demeure totalement paralysé. L'ampleur de la tâche nous fige sur place. Plusieurs excuses viennent alors justifier notre inaction : « C'est trop grand », « Je n'y arriverai jamais », « Je suis trop vieux », « Je n'ai pas le temps », etc.

Ce type de blocage est ressenti vivement, mais en quoi devrait-il nous empêcher d'agir ?

Vous souvenez-vous de votre peur des monstres dans le garde-robe quand vous étiez enfant ? Vous étiez dans votre lit, paralysé par la peur, jusqu'à ce que vous preniez votre courage à deux mains et que vous vous leviez pour vous diriger vers la fameuse porte. Vous l'ouvriez d'un coup sec pour constater qu'il n'y avait pas de monstre derrière et qu'ils n'étaient que le fruit de votre imagination. Eh bien, il en va de même pour vous, à présent. Si vous foncez et allez de l'avant, il y a de fortes chances que vous réalisiez que vous avez créé vos peurs et que c'est vous qui leur avez donné tout leur pouvoir. Si, malgré tout, vous avez encore peur, sachez que c'est un sentiment normal sur le chemin de l'évolution et qu'il demeure possible d'avancer malgré ses peurs.

Afin d'apprivoiser vos peurs, essayez de penser en termes de petites actions qui vous rapprocheront de votre but. Quelle est la première action concrète et réalisable en fonction de votre objectif ? Contentez-vous de vous focaliser sur elle en la réalisant de façon tangible. Ensuite, déterminez l'étape subséquente, et ainsi de suite. Laissez le rêve vous motiver. Et si l'image finale de son accomplissement vous paralyse, recentrez-vous sur ce que vous avez à faire ici et maintenant. Pour l'Artisan, le voyage est beaucoup plus important que la destination. C'est le processus créatif qui le motive avant tout.

Exercice

Et si un miracle se produisait… ?

Supposons qu'après la lecture de cette partie du livre, vous vaquiez à vos occupations et que, en fin de soirée, à l'heure habituelle, vous vous couchiez, vous vous endormiez et que, pendant que vous dormez, un miracle se produise… Un miracle qui ferait que vous avez équilibré vos ballons de vie. Cependant, vous ne sauriez pas qu'un miracle s'est produit, car vous dormiriez. Quand vous vous réveilleriez le lendemain matin, qu'est-ce que vous remarqueriez de différent qui vous indiquerait qu'un miracle s'est produit[1] ?

Inscrivez votre réponse dans votre journal de bord (tentez de donner le plus de détails possible pour les six ballons).

▶ Le ballon des contacts avec les amis et la famille. Par exemple, « Je ferais une sortie par semaine avec des amis ».

_____

_____

_____

1. Notez qu'il est possible d'adapter cette question à tout contenu afin de vous aider à orienter la résolution de vos problèmes vers des solutions où vous serez un participant actif.

▶ Le ballon du travail. Par exemple, « Je travaillerais à mon compte comme infographiste ».

_____

_____

_____

_____

▶ Le ballon de la vie amoureuse. Par exemple, « Je planifierais un voyage avec mon amoureux ».

_____

_____

_____

_____

▶ Le ballon de la santé (physique : exercice, alimentation, sommeil, et psychologique : émotions). Par exemple, « Je dormirais un minimum de huit heures par nuit ».

_____

_____

_____

_____

▶ Le ballon du jeu (loisirs et créativité). Par exemple, « J'irais à des cours de chant une fois par semaine ».

_____

_____

_____

_____

▶ Le ballon de la spiritualité. Par exemple, « Je méditerais cinq minutes par jour ».

_____

_____

_____

_____

Assurez-vous de répondre à cette question en insistant sur ce qui pourrait se produire dans votre vie et non sur ce qui ne se produirait plus.

Quels sont les signes concrets qui vous indiqueraient qu'un changement s'est produit ?

Pour vous aider à répondre, rappelez-vous la technique du caméraman, qui filme vos gestes, vos actions, vos déplacements ainsi que vos discours intérieurs et extérieurs.

Et maintenant, quel est le premier pas pour vous rapprocher de ce miracle ? Dans votre journal de bord, répondez aux questions suivantes.

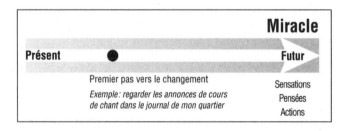

Miracle

Présent ● **Futur**

Premier pas vers le changement
Exemple : regarder les annonces de cours de chant dans le journal de mon quartier

Sensations
Pensées
Actions

Mon premier pas vers le changement est :

_____

Et qu'est-ce qui vous aidera à appliquer ce pas en particulier ? (Exemple : parler de ma démarche à une amie.)

_____

_____

L'Artisan gère ses émotions

Dans le film *La vie est belle*[1], un jeune homme réussit à rester libre intérieurement malgré une situation extrêmement difficile : sa femme, son jeune fils et lui sont envoyés en camp de concentration. Malgré tout, il parvient à avoir recours au jeu et à l'imaginaire afin que son fils puisse survivre à cet enfer.

Comme le dit Scott Peck au début de son livre *Le chemin le moins fréquenté*[2], « La vie est difficile... » Il est impossible d'éliminer tout problème et toute émotion difficile de notre Univers. Il nous reste cependant toujours le choix de notre manière de réagir à ce qui nous arrive.

Il existe plusieurs théories sur les émotions. Les auteurs et les chercheurs qui ont écrit sur le sujet y ont trouvé

1. *La Vita è bella*, par Roberto Benigni. Grand prix du jury de Cannes, 1998.
2. Scott Peck, *Le chemin le moins fréquenté*, Paris, Éditions Robert Laffont, 1987.

maintes explications. Sans décrire en détail leurs différents points de vue, j'aimerais vous exposer les idées générales de la théorie de certains d'entre eux. Les explications qui attirent particulièrement mon attention, en tant que psychologue clinicienne, sont celles qui sont orientées vers des concepts de gestion de ses propres émotions.

Robert Plutchik[1] (Collège de Médecine Albert Einstein, États-Unis) présente une synthèse des idées actuelles sur la nature des émotions humaines. L'auteur souligne que l'émotion n'est pas uniquement un état que l'on ressent, mais plutôt une chaîne complexe d'événements interreliés. Cette chaîne commence par un stimulus, suivi par un changement psychologique, la pulsion de passer à l'action et un comportement dirigé vers un but précis. Les émotions sont donc des réponses à des situations précises dans la vie d'une personne.

En considérant cette explication, on peut estimer que la gestion de l'émotion passe, dans un premier temps, par l'identification des étapes de cette chaîne. Par la suite, il suffit d'introduire des données qui viennent changer la direction de cette séquence pour modifier la nature de l'émotion ressentie.

....

1   Robert Plutchik, *Emotions in the practice of psychotherapy*, Association américaine de psychologie, 2000.

La chaîne de l'émotion
(selon Robert Plutchik)

Stimulus dans l'environnement
Exemples : événement, parole, geste, etc.

Changement psychologique chez la personne

Pulsion de passer à l'action

Comportement dirigé vers un but précis
(réponse à la situation-déclencheur)

Plutchik ajoute que le but de l'état émotif est de créer une interaction entre la personne et la situation qui a déclenché cette émotion. Cette interaction a pour but de réduire le déséquilibre et de rétablir un état de repos chez l'hôte. Il est utile de considérer l'émotion comme une alliée ; elle contient de l'information qui nous renseigne sur notre état de déséquilibre et nous permet de nous rediriger vers un espace intérieur où nous nous sentirons mieux. L'émotion est le signe que quelque chose ne va pas. Sachons en percevoir le sens afin de nous rapprocher du bien-être.

À la suite de l'exposition plus théorique de cette vision des émotions, voyons comment il est possible de formuler des gestes concrets au quotidien pour arriver à mieux les gérer.

 Exercice

Qu'est-ce qui se passe en moi en ce moment ?

Afin d'illustrer les éléments de la théorie de Plutchik, passons à un exercice qui vous permettra de mettre en pratique des moyens de mieux gérer vos émotions. Pour chaque étape de la chaîne de l'émotion de Plutchik, répondez par écrit, dans votre journal de bord, aux questions correspondantes.

Étapes de la chaîne de l'émotion	Questions
Stimulus dans l'environnement	• Quel type de stimulus ou de situation se produisant dans l'environnement a tendance à me faire réagir sans que je m'en rende compte sur le coup ?
	• Quels sont les changements qu'il m'est possible d'effectuer dans mon environnement et qui me permettront de vivre des émotions plus agréables ?
	• Pour les situations de l'environnement que je décide de ne pas modifier ou qu'il m'est impossible de changer, m'est-il possible de les voir autrement (changement de perception) ?

Étapes de la chaîne de l'émotion	Questions
Changement psychologique chez la personne	• Quel est le changement psychologique qui m'affecte le plus souvent? • Qu'est-ce qui m'indique que je suis en train de m'engager dans une voie difficile (c'est-à-dire quels sont les signes précurseurs de l'émotion, par exemple des sensations, des pensées typiques, des désirs particuliers, des comportements spécifiques, etc.)? • Quels seront les signes qui me prouveront que je gère mieux mes émotions?
Pulsion de passer à l'action	• Qu'est-ce qui me pousse à passer à l'action? • Si cette action me cause du tort, qu'est-ce qui m'aiderait à passer à une action plus saine pour moi?
Comportement dirigé vers un but précis (réponse à la situation-déclencheur)	• Quel est le comportement nuisible qui agit comme une réponse à la situation-déclencheur? • Par quel comportement sain pourrais-je le remplacer? • Suis-je capable de nommer l'émotion que je suis en train de vivre? • Comment puis-je l'accepter comme faisant partie de mon cheminement et comme étant un indice me ramenant à un équilibre intérieur?

Un autre élément intéressant de la théorie des émotions de Plutchik est la roue des émotions.

Cette roue est composée de huit émotions de base qui, combinées deux par deux, donnent lieu à d'autres états émotifs. Par exemple, l'amour est une combinaison de joie et d'acceptation, la crainte, un mélange de peur et de surprise, etc.

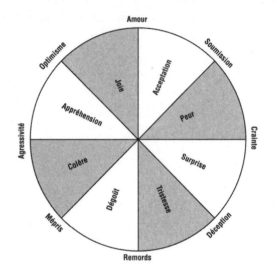

Il est normal de ressentir des émotions. Nous n'avons tout simplement pas toujours appris à les gérer de façon saine et efficace. Il est parfois difficile de s'ouvrir à ses émotions en se permettant de les vivre. Il y a des moments où l'on choisit délibérément de s'en couper afin de ressentir moins de souffrance. Pourtant, comme le dit si bien Khalil Gibran dans

Le Prophète. « Ta douleur marque l'éclatement de la coquille qui enferme ta compréhension. »

Lorsque je passe la tondeuse dans un jardin, tout y passe : le gazon, les mauvaises herbes et les fleurs ! Si vous vous coupez de vos émotions, tout y passera ! Il est vrai que vous vivrez les émotions plus difficiles (par exemple la tristesse, la colère, etc.) de façon moins intense mais, par le fait même, vous couperez aussi le contact avec les émotions agréables et les ressentirez de façon moins intense. En acceptant de vivre tout le registre de nos émotions, on atteint une profondeur dans la qualité de la relation à soi, et on s'ouvre à la possibilité de vivre de plus en plus d'expériences de vie positives.

Autres « trucs » pour favoriser la gestion de certaines émotions ou certains sentiments

L'anxiété

La vie est une suite d'événements agréables ou plus difficiles auxquels nous sommes confrontés. Les questions, les décisions à prendre, les changements dans notre vie, les responsabilités, les deuils et même les joies sont susceptibles d'éveiller en nous des préoccupations. Il est donc normal de vivre des moments d'anxiété. Quand l'anxiété apparaît, elle est ressentie comme une inquiétude, qui est aussi physique et se manifeste par des sensations de serrement au thorax ou à l'abdomen.

L'anxiété est un signal d'alarme qui indique que nous sommes préoccupés et que certaines émotions demandent à être exprimées. C'est la réaction qui nous indique que l'on doit observer plus directement ce que l'on vit en rapport avec une situation. On calme donc souvent l'anxiété en gérant plus directement les émotions sous-jacentes.

Quand vous faites de l'anxiété, demandez-vous ce qui vous préoccupe et quelle émotion véritable cherche à se manifester. Tentez de trouver des moyens d'exprimer celle-ci, de faire face de façon plus directe à la situation qui vous tracasse.

Les moyens d'exprimer les émotions sont variés. Il s'agit de déterminer ceux qui fonctionnent le mieux pour vous dans différents types de situations. Par exemple, quand je réalise que mon anxiété cache une tristesse par rapport à une perte récente, je peux exprimer cette tristesse en écrivant, en allant danser, en me permettant de pleurer un bon coup, en créant, en parlant à quelqu'un, etc.

Tentez de vous observer pour mieux cerner l'émotion sous-jacente à l'anxiété, puis ce que vous faites de libérateur pour exprimer l'émotion y étant liée. Sachez ensuite reproduire ces comportements et ces attitudes dès que l'anxiété se manifeste et évaluez leurs effets bénéfiques sur votre bien-être.

La peur

Que feriez-vous si vous n'aviez pas peur ?

La peur nous empêche bien souvent de nous libérer et de nous occuper réellement de nos buts, de nos rêves et de nos aspirations. Quand la peur nous paralyse, demandons-nous ce que nous ferions une fois la peur combattue et agissons graduellement en ce sens. Il est possible d'avancer avec ses peurs. Rappelez-vous aussi que, bien souvent, derrière une peur se cache un désir. Qu'est-ce que vos peurs révèlent sur vos désirs ?

La culpabilité

Elle apparaît souvent quand nous n'assumons pas pleinement nos actions. Alors, il s'agit de choisir entre le fait d'agir différemment ou d'assumer les conséquences de nos actions. L'une ou l'autre de ces options devrait aider à diminuer la culpabilité ressentie.

La colère

La colère est une émotion difficile à gérer car nous sommes portés à la refouler. Il est important de découvrir ce qui a tendance à nous mettre en colère et à trouver des exutoires sains pour l'extérioriser au fur et à mesure qu'elle se présente.

Tentez de voir les premiers signaux d'alarme qui vous indiquent que vous ressentez de la colère. Est-ce que votre souffle devient plus court ? Est-ce que vous serrez les mâchoires ? Quel est le discours intérieur qui se manifeste alors en vous ?

Ensuite, explorez différents types de défoulement afin de voir ce qui fonctionne spécifiquement pour vous. Qu'est-ce qui vous libère le plus ? Le sport ? En parler ? Aller prendre l'air ? Écrire ? Dessiner ? Suivre des cours de karaté ?

L'Artisan prend plaisir à la créativité

La société dans laquelle on vit est très axée sur la productivité et les résultats. Par conséquent, en tant que personne, nous sommes également très exigeants envers nos propres performances.

Un aspect malheureusement négligé est celui de la créativité (ou du jeu). Cette partie en soi, désignée par certains auteurs comme « l'enfant intérieur », a besoin de s'amuser. Voyons comment nous pouvons le faire de façon saine et positive.

Depuis le début des temps, l'homme des cavernes a peint dans sa grotte, a eu des rituels de passage, a inventé des outils de chasse ou de cuisine. Il crée ce dont il a besoin et y prend plaisir. Le sens de la créativité n'appartient pas seulement aux peintres, aux chanteurs et autres artistes. Chacun de nous possède en lui un potentiel créateur. Dans cette optique, créer signifie apporter un élément nouveau ; produire, découvrir ou concevoir une idée ou un produit nouveau pour soi. La créativité se trouve donc dans tous les domaines : l'économie, l'art, les sciences, la vie quotidienne, les relations, le travail, la résolution de problèmes, etc.

La créativité et l'intuition proviennent de l'hémisphère droit de notre cerveau. Quant à l'hémisphère gauche, il est responsable des activités plus logiques et du raisonnement. Tendre vers l'équilibre dans la relation à soi signifie aussi nourrir cet espace de création.

En effet, pour se sentir heureux et s'épanouir pleinement, il est essentiel de se trouver dans l'espace créatif de façon régulière. Peu importe le contexte dans lequel cela se manifeste, chacun a besoin de créativité et de jeu dans sa vie.

La créativité est un mode de pensée et représente donc un monde qui vous est accessible en tout temps. Amusez-vous, expérimentez ! Tentez d'éviter d'évaluer votre performance ou de vous juger en fonction des résultats obtenus. Ce qui nous intéresse davantage ici, c'est le processus et les sentiments qui nous habitent durant le processus de création.

L'activité peut être toute simple : il peut s'agir d'activités reliées à un art ou à tout autre domaine qui vous attire. Quelques exemples : inventer un jeu pour les enfants, changer les meubles de place, découper des images dans une revue pour en faire un collage, prendre un autre chemin pour se rendre au travail, etc.

Rappelez-vous quelles sont les notions de plaisir et de nouveauté pour vous !

 Exercice

Et l'Artisan créa...

Dans votre journal de bord, nommez cinq contextes ou activités où vous faites appel à votre propre créativité et où vous sentez que vous vous amusez réellement :

1. _____
2. _____
3. _____
4. _____
5. _____

Une fois les contextes ou activités spécifiés, prenez rendez-vous avec l'Artisan en vous afin de lui donner des périodes de jeu où vous explorerez votre créativité. Au début de la démarche, il est important de fixer des moments précis pour le faire ; sinon, il sera facile de se trouver des excuses pour les éviter. Cela peut sembler bizarre étant donné que ces moments sont agréables et qu'on devrait donc plutôt avoir hâte de les vivre. Le plus difficile est de commencer ! Une fois l'action entreprise, ces moments s'avèrent délicieux. Mais des blocages face à la créativité sont susceptibles d'apparaître sur notre route, surtout si on avait laissé de côté cet aspect de sa vie depuis un certain temps. La tentation de faire le ménage, de travailler, de regarder la télé, de faire des appels téléphoniques ou la pensée de se trouver trop vieux, sans talent, par exemple, pourra devenir un obstacle quand arrive le moment de se retrouver face à soi-même et à sa créativité.

Quel est votre pire ennemi en ce qui concerne votre créativité ? Quel est votre pire blocage ?

Dessinez-le dans votre journal de bord.

Et si vous dites « Je ne suis pas bon en dessin », ce n'est pas grave, dessinez quand même !

Sur le plan de la créativité, ce n'est pas le produit final qui nous intéresse mais davantage le processus et ses bienfaits sur notre bien-être général.

La prochaine fois que vous faites face à ce blocage ou à cet obstacle, quelle phrase ou image vous aidera à le surmonter afin de réussir à plonger dans vos projets de créativité ?

Phrase ou image

_____

Réflexion

Il est intéressant d'explorer différents domaines où votre créativité est susceptible de vous nourrir et de favoriser votre épanouissement.

Pour mieux cerner ces territoires, répondez aux questions suivantes dans votre journal de bord.

▸ Quels étaient vos talents spéciaux quand vous étiez enfant?

▸ Qu'est-ce qui vous passionne?

▸ Quels intérêts, activités, formes d'art vous attirent particulièrement?

▸ Que rêvez-vous d'accomplir?

▸ Quel autre métier ou profession auriez-vous aimé faire? Quels sont les éléments de ces occupations que vous pourriez inclure dans votre vie?

▸ Qu'est-ce qui vous fait du bien? À quel moment vous sentez-vous le plus en contact avec votre créativité?

Comme dans tous les domaines abordés jusqu'ici, ce qui favorise le plus le changement est l'action. Tentez des pas concrets dans la démarche d'exploration de votre propre créativité. Amusez-vous, vivez à fond, tentez de vous débarrasser de la peur du jugement des autres et ne laissez pas vos doutes vous paralyser! Continuez toujours à aller de l'avant!

L'Artisan célèbre ses réussites

La période de célébration est très importante pour l'Artisan. En effet, il est important de célébrer la réussite de l'atteinte des objectifs que nous nous fixons sur le chemin de notre évolution. Il peut s'agir de « mini-célébrations » pour les plus petits objectifs et de plus grandes fiestas pour les réussites plus significatives.

Aussi, le fait de savoir que nous célébrerons le résultat attendu nous motivera et nous aidera à persévérer dans les moments plus difficiles et devant les obstacles inévitables qui traverseront notre route.

 Exercice

Et la fiesta sera !

Pensez d'avance à ce que vous ferez pour vous féliciter et vous encourager à continuer votre œuvre. Dans votre journal de bord, reproduisez et remplissez le tableau ci-après.

Les objectifs	Vos idées de fiesta

Notez que « faire la fête » peut revêtir plusieurs sens. Il peut s'agir de regrouper ses amis pour un souper autant que de faire un geste symbolique qui apportera un sentiment de mission accomplie.

De façon générale, organisez une fête qui aura un sens pour vous par rapport à l'objectif fixé et qui mettra vos réalisations en évidence. Par exemple, si vous avez réussi à apprivoiser davantage votre solitude, il pourrait être significatif et symbolique de célébrer cet événement seul, en écoutant de la musique, en vous préparant un souper spécial et en dansant dans votre demeure décorée au gré de votre fantaisie. Sachez vous dire bravo et faites-vous plaisir !

 Cible

L'œuvre de l'Artisan

Se responsabiliser face à sa vie

La mer existe simplement par son essence. Elle prend plaisir à être, tout simplement.

Résumé des actions à entreprendre :

▶ Je réponds à mes propres besoins ;

▶ J'équilibre les sphères de ma vie ;

▶ J'apprends à gérer mes émotions ;

▶ Je prends plaisir à être créatif;

▶ Je célèbre mes réussites.

Dans votre journal de bord, répondez aux questions suivantes.

En ce qui concerne les actions vous aidant à vous responsabiliser face à votre vie, quel apprentissage principal avez-vous fait par rapport à votre cheminement personnel ?

_____

_____

_____

Toujours en rapport avec ces cinq principes, quelles sont les actions observables et mesurables que vous poserez dès maintenant ?

_____ _____ _____

_____ _____ _____

_____ _____ _____

L'annonce du Messager

Se tenir des discours motivants
Le Messager en soi se construit en déterminant les
messages qui le dirigeront vers ses buts.
Le Messager retouche son dialogue intérieur

C'est dans le choix que nous faisons de nos pensées que réside notre liberté.

EMMET FOX

Un des outils concrets qu'utilise notre Messager pour entretenir une relation équilibrée est le dialogue intérieur. Si le discours intérieur est positif, il nourrira de façon saine la personne et son image d'elle-même. S'il est de nature négative, il dénigrera la personne et fera tranquillement des ravages en l'atteignant dans sa façon de se percevoir et de s'apprécier à part entière. De quelle nature est votre dialogue intérieur ? Quel dialogue entretient votre Messager intérieur ?

 Exercice

Je change de disque !

Pensez à la personne la plus importante de votre vie (oui, je parle bien de vous) !

Face aux situations suivantes, comment vous parlez-vous ? Comment réagissez-vous spontanément ?

Que vous dites-vous d'abord ? Pour chacune, écrivez quelques lignes dans votre journal de bord.

C'est le temps d'expérimenter la technique de la tempête d'idées expliquée dans l'introduction. Allez-y, amusez-vous ! Inscrivez toutes les réponses qui vous viennent à l'esprit sans les censurer !

Partie A

▶ « J'ai fait une erreur, je me suis encore trompé. J'aurais pourtant dû savoir quoi faire. »

_____

_____

▶ « J'ai peur de m'inscrire à ce cours car je ne sais pas si je serai assez bon pour le réussir. »

_____

_____

▶ « Je suis fier de moi car j'ai dépassé certaines de mes limites. J'ai persévéré et je suis arrivé à me débarrasser d'un boulet que je traînais depuis longtemps. »

_____

_____

« Je suis vraiment une personne imbécile, inintéressante et bonne à rien. C'est à se demander comment on fait pour m'endurer et passer du temps avec moi ! »

_____

_____

Pensez maintenant à une personne de votre entourage que vous aimez beaucoup et pour laquelle vous éprouvez un grand respect. Dans votre journal de bord, répondez aux questions suivantes.

Qui est-ce ? _____

Si cette personne se présentait devant vous et vous exposait les mêmes situations, comment réagiriez-vous ? Que lui diriez-vous ? Notez-le dans votre journal de bord. Cette fois-ci encore, trouvez toutes les réponses possibles. Et soyez honnête !

Partie B

▶ « J'ai fait une erreur, je me suis encore trompé. J'aurais pourtant dû savoir quoi faire. »

_____

_____

▶ « J'ai peur de m'inscrire à ce cours car je ne sais pas si je serai assez bon pour le réussir ! »

_____

_____

▶ « Je suis fier de moi car j'ai dépassé certaines de
mes limites. J'ai persévéré et je suis arrivé à me
débarrasser d'un boulet que je traînais depuis
longtemps. »

_____

_____

_____

▶ « Je suis vraiment une personne imbécile,
inintéressante et bonne à rien. C'est à se demander
comment on fait pour m'endurer et passer du temps
avec moi ! »

_____

_____

_____

Réécrivez maintenant vos éléments de réponse
aux parties. A et B de l'exercice dans les colonnes
appropriées du tableau si-dessous, que vous aurez
reproduit dans votre journal de bord. Inscrivez les
parties de votre discours qui s'avèrent positives et
aimantes dans la première colonne, et celles qui
sont plutôt négatives et méprisantes dans la colonne
du centre. Les éléments neutres, qui n'ont pas de
conséquences importantes selon vous, iront dans la
colonne de droite.

Discours positif, aimant	Discours négatif, nuisible, méprisant	Discours neutre
Première situation Exemple • « Donne-toi une chance de faire des erreurs. C'est comme ça que tu apprendras de nouvelles façons de faire... »	Exemple : « Tu t'es encore trompé ! Décidément, tu ne réussis jamais rien comme il faut ! »	Exemple : « Ah ! je ne savais pas que tu avais fait une erreur ! »
Première situation		
Deuxième situation		
Troisième situation		
Quatrième situation		

Maintenant, observez attentivement le contenu de ce tableau et comparez les différents types de discours. Quand vous vous adressez un message avec respect et compréhension, qu'est-ce qui le caractérise ?

Dans votre journal de bord, notez vos observations et vos commentaires.

_____

_____

_____

Veillez à adopter un langage intérieur positif et aimant. Se parler négativement reflète et entretient une faible estime de soi. Les messages répétitifs positifs, au contraire, ont une influence bénéfique sur le fonctionnement et la perception de soi.

À partir de maintenant, soyez à l'écoute de votre discours intérieur. Si vous vous apercevez qu'il est le moindrement négatif et méprisant, remplacez-le immédiatement par une phrase simple et positive. Vous pouvez même la préparer d'avance afin de vous simplifier la tâche et de faire en sorte que cette habitude soit plus automatique.

Les caractéristiques d'un message intérieur positif et efficace

▶ Un message positif est empreint de douceur et d'amour de soi.

Un message positif est composé de termes aimants. Oui, il faut parfois se parler comme on parlerait à un enfant. Sur le chemin de l'évolution et sur le plan des apprentissages, aucun message n'est trop aimant ni trop doux. Il n'est ni ridicule ni narcissique de se dire « Je t'aime », « Je suis une personne magnifique » ou « Je mérite telle ou telle chose ». Sachez vous gâter dans la manière dont vous vous adressez la parole !

▶ Le message efficace insiste sur ce que l'on désire obtenir.

Dans un message efficace, j'indique clairement la direction à emprunter. En effet, un message positif décrit l'action ou le résultat attendu et, ce faisant, il laisse des traces qui engendreront davantage le changement. Par exemple, il vaut mieux se dire « Je vais travailler une demi-heure par jour sur ce projet » que « Je vais cesser d'être inactif » ou « Je ne suis jamais capable de mener mes projets à terme ». Cette nuance a beaucoup d'importance. Le Messager sait énoncer des demandes claires, qui ne sont pas sujettes à interprétation et indiquent nettement la direction à emprunter pour se sentir mieux.

▶ Un message motivant insiste sur les compétences, les forces, les aptitudes d'une personne ainsi que sur ses émotions ou sentiments positifs.

Il est motivant d'entendre un message qui implique nos forces et nos capacités. Ce type de formulation nous poussera encore plus à vouloir relever d'autres défis et est la preuve du respect que l'on a pour soi. N'hésitez pas à vous féliciter du moindre succès obtenu. « Je suis capable de… » ou « Je suis fière de moi car… » sont des formules simples, à la fois efficaces et encourageantes.

 Exercice

Parlez-moi d'amour

Dans votre journal de bord, écrivez quelques phrases aimantes envers vous-même tout en tenant compte des caractéristiques d'un message efficace.

Personnalisez la façon dont vous créez ce nouveau discours intérieur…

Amusez-vous dans ce processus et gardez en tête qu'il est très sain de se parler à soi-même, surtout si on le fait avec amour et compassion.

_____

_____

_____

Le Messager ajuste ses croyances à sa réalité

Histoire de cas

La clémence de Clément

Un petit garçon prénommé Clément avait des parents vraiment gentils, qui lui apportaient beaucoup d'amour et de soutien. Il était pleinement heureux et apprit à devenir un homme courtois, respectueux et engagé dans tout ce qu'il entreprenait. Il grandit et devint un homme très apprécié de son entourage. Il rencontra une femme et tomba éperdument amoureux. Il se sentit si satisfait et comblé durant les premières années, il profita tant de la vie ! Un bon matin, il se leva de son lit, comme tous les autres matins, mais il était si fatigué... Il pensa : « Je vais me reposer et tout rentrera dans l'ordre. »

Cependant, le temps passait et il se sentait toujours aussi épuisé. Il visita alors plusieurs médecins, qui lui confirmèrent que tout allait bien chez lui. Pourtant, il traînait continuellement cette lassitude, comme un boulet à son pied. Il fit donc une démarche personnelle et réalisa enfin quelque chose qui allait changer sa vie : il avait toujours été si gentil ! Il n'en pouvait plus ! Il avait développé une attitude de constante amabilité et en était venu à croire qu'il s'agissait de la seule façon d'être. Il avait toujours fait tant d'efforts pour plaire aux autres et pour ne pas être abandonné de son entourage qu'il s'était oublié et affaibli avec le temps.

Il décida alors d'être vrai et de s'occuper de ses propres besoins pour pouvoir regagner cette énergie perdue. Il commença à faire de toutes petites actions contraires à son réflexe d'être toujours gentil quand il ne ressentait pas celui-ci. Au début, il essaya de dire simplement « non » quand il n'avait pas réellement envie de faire quelque chose. Il ne devint pas un monstre égoïste, mais quelqu'un qui respectait davantage ses besoins et était prêt à entendre ceux des autres sans toujours être le « sauveur » qui répondrait à l'appel. Quand il rendait service, cela venait du fond du cœur.

Au début, cela ne fut pas facile pour lui et la peur le paralysait parfois. Mais il persistait, car il était clair pour lui qu'il ne désirait en aucun cas revenir en arrière en se remettant à fonctionner comme avant. Les gens qui l'aimaient vraiment restèrent près de lui et respectèrent ce changement, car ils savaient que c'était pour son bien... Les autres ne purent pas supporter le « nouveau » Clément et disparurent de son entourage en le jugeant et en regrettant l'ancien. Cette étape fut la plus difficile à traverser pour lui : même en ouvrant son cœur à ces gens et en leur expliquant la motivation de ce changement, ils persistèrent à vouloir retrouver leur Clément complaisant.

La fin de l'histoire? Clément retrouva enfin son énergie vitale et trouva le vrai bonheur. Il avait désamorcé ce qu'on peut appeler une « fausse croyance ». Sa nouvelle croyance était devenue : « Je suis authentique tout en étant une bonne personne et je suis aimé. »

Une partie de l'humain fonctionne un peu comme un ordinateur. Un programme est installé pour répondre à une demande et y parvient pour une période de temps. Toutefois, quand la demande n'est plus requise, le programme n'est pas toujours automatiquement retiré de l'ordinateur. Par conséquent, il devient inefficace, voire nuisible au fonctionnement général de la machine. Pourquoi ne réussit-on pas à obtenir les résultats désirés? Pourquoi les commandes que nous lui demandons d'effectuer échouent-elles? Que se passe-t-il? Malgré toutes nos tentatives pour obtenir des résultats intéressants, rien à faire : à notre insu, bien souvent, ce vieux programme exerce une influence persistante sur le fonctionnement général de l'appareil. C'est en faisant un grand nettoyage du disque dur et des composantes de l'ordinateur que nous pouvons retrouver ce programme. Et alors, nous avons le choix de le retirer ou de le modifier pour faire en sorte qu'il cesse d'être nuisible à notre fonctionnement général.

À travers les nombreuses expériences vécues dans notre vie, nous développons tous des « programmes » pour arriver à nous adapter et à mieux fonctionner. Souvent, ils sont très efficaces et nous rendent des services incroyables… Mais cela ne dure qu'un moment, le temps que la situation qui les avait nécessités perdure.

Le problème apparaît par la suite, quand nous vivons d'autres expériences, quand nous poursuivons notre évolution. Pour l'être humain, ce « programme » équivaut à nos pensées, à nos croyances par rapport à plusieurs dimensions de la vie, à la façon dont nous croyons devoir nous comporter.

Les croyances, quand elles ne sont plus adaptées à notre réalité actuelle, constituent des obstacles qui nuisent à notre bonheur et freinent notre évolution.

Que faire pour se débarrasser de l'influence de ces fausses croyances ?

Il s'agit d'abord de faire un effort conscient pour les retracer afin d'en reconnaître la couleur. Un petit indice : elles se déguisent souvent en des il faut, je dois, etc. Ensuite, on devra les modifier en fonction de notre réalité d'aujourd'hui et de nos désirs actuels de bien-être et d'évolution personnelle. Si on néglige de le faire, on verra se répéter les mêmes patterns dans notre vie, et ce, souvent

sans même nous en rendre compte. Nos efforts de changement seront demeurés vains ou auront engendré bien peu
de résultats.

Rester accrochés à nos fausses croyances nous place en
mode de survie continuelle. On est alors aux aguets car
on recherche tous les signes qui peuvent se rapprocher de
cette pensée. Parfois même, nous irons jusqu'à provoquer
nous-mêmes la situation avant qu'elle se produise, courant ainsi à notre perte… La fausse croyance est si ancrée
en nous qu'on ne se voit même pas faire. Il faut donc changer le programme, l'ajuster pour qu'il reflète ce que l'on
désire pour soi, maintenant, dans sa vie.

 Histoire de cas

Jeannette, la parfaite

Un jour, lors d'une entrevue, Jeannette, une jeune
femme dans la vingtaine, cerne une fausse croyance :
« Je dois tout réussir à la perfection, et ce, dans tous
les domaines de ma vie. »

Avant qu'elle retrace ce « programme », celui-ci avait
longtemps eu une influence sur ses comportements
et ses attitudes, et ce, sans même qu'elle en soit
pleinement consciente. Un jour, elle se trouva
confrontée à une situation qui la plaça devant
le choix de poursuivre sa vie selon ce mode de

fonctionnement ou de tenter de comprendre l'influence de cette fausse croyance pour pouvoir la modifier de façon qu'elle reflète mieux sa réalité et ses besoins.

Jeannette s'est demandé s'il lui était arrivé de ne pas exiger d'elle-même la réussite parfaite dans tous les domaines de sa vie en même temps. Au début, elle n'arrivait pas à répondre clairement à cette question. Elle disait se sentir plutôt comme dans une zone de brouillard dense. Avec le temps, elle a réussi à trouver un contexte particulier où cela s'était produit. Nous avons alors ensemble cherché à cerner les moments, les contextes, les endroits où elle avait vécu une situation faisant exception à cette fausse croyance.

Comme un éclair, une situation lui vint alors à l'esprit. Quelques années auparavant, elle avait souffert de migraines intenses qui lui causaient des nausées et des étourdissements. Après plusieurs séries de tests, les médecins lui avaient affirmé qu'il n'y avait rien d'autre à faire que se reposer pour vaincre ce trouble. Elle avait alors été obligée de ralentir et de cesser certaines activités. Il est vrai qu'au début, elle avait eu de la difficulté à l'accepter, car elle avait l'habitude de faire tout ce dont elle avait envie. De façon générale, elle devait ralentir son rythme de vie pour permettre à son corps de se remettre entièrement.

Jeannette se sentait parfois frustrée par les conséquences de cette situation. Dès qu'elle se remettait à bouger au rythme d'avant, les migraines revenaient la terrasser. Par la suite, elle réalisa qu'il lui était possible de reprendre certaines activités tout en étant davantage à l'écoute des signes de fatigue que son corps lui envoyait.

En repensant à cette situation, Jeannette observa son attitude et son comportement face au problème auquel elle avait été confrontée. Elle réalisa que son corps l'avait forcée à s'arrêter à cette époque, mais qu'elle avait maintenant le droit de le faire selon son libre arbitre. En somme, elle réalisa qu'elle pouvait voir cette situation qu'elle avait vécue comme une occasion de mieux se connaître et de changer.

Apprendre à se reposer, arriver à se sentir heureuse en ayant un rythme d'activité plus posé. Bref, « le bonheur dans la détente », comme le dirait une amie à moi.

Jeannette réussit à modifier sa fausse croyance graduellement, en apportant de petits changements dans son quotidien, dans d'autres sphères de sa vie... de légers changements pour commencer. Ainsi, sa croyance se modifia graduellement. Aujourd'hui, elle peut affirmer : « Je réussis bien dans tous les secteurs de ma vie tout en étant à l'écoute de mes besoins. » Cette nouvelle croyance correspond bien davantage à ce qu'elle désire actuellement dans sa vie. Elle reflète la réalité qu'elle veut sienne. Jeannette est demeurée une personne active, qui a des rêves et des projets, mais qui, en même temps, sait écouter ses besoins de repos et de calme.

Déterminez la réalité que vous désirez pour vous aujourd'hui... Voyez quelles sont vos fausses croyances et trouvez quelles possibilités de changement elles cachent. Vous avez le choix de les adapter à votre réalité actuelle!

Malheureusement, quand nous décidons de changer, nous voudrions décrocher la lune! Cela signifie que nous avons tendance à résister à ce changement. Devant un changement majeur, qui monopolise toute notre énergie, il y a de quoi se décourager et abandonner! C'est probablement le mode que vous avez employé jusqu'à maintenant. S'il fonctionne et que vous avez obtenu les résultats escomptés... eh bien, bravo! Gardez cette façon de faire, puisqu'elle vous convient. Sinon, il est temps d'essayer autre chose!

▶ Quand vous faites quelque chose et que cela ne fonctionne pas, c'est peut-être qu'il est temps d'essayer autre chose!

Passons à un exercice qui vous aidera à retracer vos fausses croyances et à voir comment vous pourriez les modifier sans toutefois passer d'un extrême à l'autre du jour au lendemain.

Exercice

J'adapte mes croyances à ma réalité

1. Décelez les fausses croyances qui ont jusqu'à maintenant donné une direction à votre vie et nuisent à votre bien-être. Voici quelques questions-indices pour vous y aider. Notez les réponses dans votre journal de bord.

▶ Quelle est votre philosophie de la vie ? Que pensez-vous des êtres humains ?

_____

_____

_____

▶ Quelle attitude générale dicte votre comportement ? (Exemple : être toujours gentil.)

_____

_____

_____

▶ Quel genre de reproches ou de compliments recevez-vous souvent de la part des autres ? (Voir l'histoire de Clément, à la page 126.)

_____

_____

_____

▶ De quoi êtes-vous fondamentalement fatigué ou par quoi êtes-vous frustré ?

_____

_____

_____

▶ Dans vos relations, quels semblent être vos difficultés principales, les problèmes récurrents ?

_____

_____

_____

Vos fausses croyances

Il est parfois difficile de les retracer, et c'est normal ! Donnez-vous le temps de le faire. Rappelez-vous que ces « programmes » sont résistants et qu'ils se cachent parfois pour éviter qu'on les retrace… de peur d'être retirés.

Vos fausses croyances vous apparaîtront à la suite d'un effort conscient de votre part. Vous pouvez également vous allouer une période où vous observerez vos pensées, vos attitudes et vos comportements.

Une personne de votre entourage qui vous connaît bien, vous respecte et en qui vous avez confiance pourra aussi vous aider à répondre aux questions de la page précédente.

Une fois que vous aurez découvert vos fausses croyances personnelles, écrivez-les dans vos propres mots dans votre journal de bord. Suivez votre intuition en ce qui concerne la façon de les formuler.

Exemple : « Je dois toujours être aimable et gentil si je veux être aimé », comme dans l'histoire de Clément, ou « Je dois tout réussir à la perfection, et ce, dans tous les domaines de ma vie », comme dans l'histoire de Jeannette, la parfaite.

_____

_____

_____

_____

_____

_____

2. Maintenant que vous avez décelé vos fausses croyances, vous serez en mesure de les modifier plus

facilement afin qu'elles correspondent davantage à ce que vous désirez vivre. Pour chacune de ces fausses croyances, répondez aux questions suivantes :

▶ Quelles sont les conséquences de cette fausse croyance ?

— Les inconvénients : par exemple, la fatigue, le découragement, des exigences élevées, une faible estime de soi, etc.

— Les avantages : par exemple, une excuse pour ne pas bouger, une forme de sécurité, une reconnaissance de l'entourage, etc.

Dans votre journal de bord, notez vos réflexions sur la question.

_____

_____

_____

_____

_____

_____

Il est normal de réaliser que vos fausses croyances procurent à la fois des avantages et des inconvénients. Les conséquences pèsent-elles plus dans la balance que les avantages ? Quel est l'intérêt de modifier une fausse croyance en particulier ? Faites votre choix de façon éclairée avant de poursuivre l'exercice. Vous pouvez choisir ce que vous voulez dans la vie pourvu que vous soyez prêt à assumer les conséquences de votre choix.

▌ Quels sont les moments, les contextes, les endroits ou les situations où vous avez pensé, expérimenté ou ressenti un sentiment opposé à celui que vous procure votre fausse croyance ?

Par exemple, par rapport à la fausse croyance exprimée de la façon suivante : « Je n'arrive jamais à compléter mes projets, donc, je suis un lâche et je me sens perdant », un client a découvert une situation où il avait expérimenté et ressenti un sentiment opposé. Il s'agissait de la rénovation de sa maison, qui progressait constamment. Chaque soir, en se couchant, il ressentait de la fierté de persévérer dans son travail et d'expérimenter un succès.

▌ Y a-t-il des moments, des contextes, des endroits, des situations où votre fausse croyance n'a eu aucun pouvoir sur vous ? Il s'agit ici de creuser pour retracer l'exception à cette règle dans votre vie.

Dans votre journal de bord, notez vos observations à ce sujet, puis répondez aux questions suivantes.

_____

_____

_____

▷ Qu'est-ce qui était différent dans votre attitude ou dans votre comportement dans ces moments d'exception?

_____

_____

_____

_____

_____

▷ Qu'est-ce qui fait que vous n'avez pas agi selon cette fausse croyance dans ce moment précis ou dans ce contexte spécifique?

_____

_____

_____

_____

▷ Comment pourriez-vous modifier votre fausse croyance de façon qu'elle corresponde davantage à votre réalité actuelle ? Quelles actions pourriez-vous faire, quelles mesures pourriez-vous instaurer dans votre vie pour que cette fausse croyance soit légèrement modifiée ?

_____

_____

_____

_____

Vos croyances actuelles

Dans votre journal de bord, inscrivez vos nouvelles croyances, celles qui découlent des modifications que vous avez faites.

Exemple : « Je réussis bien dans tous les secteurs de ma vie tout en me permettant d'être humain » ou « Je suis un être bon et aimable, et je vis seul », etc.

_____

_____

_____

_____

Maintenant que vous avez redéfini vos croyances, vous devrez vous les répéter intérieurement, et ce, régulièrement. Certains moyens vous aideront à les adopter. Par exemple, écrivez la nouvelle croyance sur papier et affichez-la à un endroit stratégique, où votre regard se pose souvent, ou glissez-la dans votre portefeuille. Tous les moyens sont bons pour y arriver ! Il s'agit de vous habituer à ce nouveau « programme », de vous accoutumer à sa présence, de le faire vôtre pour qu'il devienne une partie intégrante de votre fonctionnement.

De plus, de temps à autre, veillez à appliquer concrètement vos nouvelles croyances ; mettez-les en action. Expérimentez vos nouvelles façons de faire et observez ce qui se passe. Une fois que vous serez habitué aux petits changements instaurés, ajoutez-en d'autres graduellement afin de vous approcher de plus en plus de la croyance qui reflète vos désirs et vos besoins actuels.

 Cible

L'annonce du Messager

Se livrer des discours mobilisateurs

La mer se construit à l'aide de toutes les particules qui en font partie et elle se purifie en envoyant ses déchets sur la rive, à l'aide du mouvement de ses vagues.

Résumé des actions à entreprendre

▶ Je retouche mon dialogue intérieur ;

▶ Je détermine et redéfinis mes croyances.

Dans mon journal de bord, j'indique quel est mon message motivant marquant. Je réponds également aux questions qui suivent.

_____

_____

_____

_____

_____

Quel est l'impact de ce message sur votre réalité ?

_____

_____

_____

_____

_____

Quels sont les apprentissages liés à l'annonce du Messager ?

_____

_____

_____

_____

_____

En résumé :
l'action est notre alliée

Trois méthodes de base pour tendre vers l'équilibre dans la relation à soi

1. Le parcours du Sage

J'apprends à toujours mieux me connaître et m'apprécier

- Je nourris l'amour que j'ai pour moi-même ;
- Je rassemble mes forces pour favoriser les changements désirés ;
- J'équilibre mes besoins de solitude et de contacts sociaux ;
- Je me donne le droit à l'écart et j'utilise la « chute » pour mieux me comprendre ;
- J'accepte l'inconfort lié au changement.

2. L'œuvre de l'Artisan

- Je me responsabilise face à ma vie
- Je réponds à mes propres besoins ;
- J'équilibre les sphères de ma vie ;
- J'apprends à gérer mes émotions ;

▶ Je prends plaisir à être créatif ;

▶ Je célèbre mes réussites.

3. L'annonce du Messager

▶ Je me tiens des discours motivants

▶ Je retouche mon dialogue intérieur ;

▶ Je détermine et redéfinis mes croyances.

En terminant, j'aimerais partager avec vous des idées, des poèmes et des métaphores qui, je l'espère, sauront vous toucher et vous encourager à croire en vous ainsi que dans l'action en tant que moteur de changement.

Pour commencer, voici les paroles d'une chanson que j'ai composée dans un moment de ma vie où je me sentais un peu perdue et où je trouvais mon chemin ardu. Dans cette période, j'ai tant marché… Et j'ai eu l'inspiration de continuer.

En espérant que cette chanson vous encouragera aussi à poursuivre le chemin de votre évolution…

Marcher

Marcher sans but
Sans savoir où se rendent mes pas
Pourtant guidés, avides de liberté
Chercher à connaître la destination
Et négliger la vie qui se déroule sous ces pieds
Qui foulent le sol, apeurés
Cadence, rythme rond
Mers de troubles, pensées vagues
Se créer et s'inventer un sens…
L'air entre en moi et apporte un mouvement de vie
Tous les possibles se rendent possibles
Marche, marche encore…
Je marche sans savoir où vont mes pas
Le son de la neige croustillant
Me rend présente si simplement
Marche et sens en toi
La flamme qui persiste
De la même nature que ces passants
Avec leurs histoires, leurs colères, leurs amours blessées.
Choisis ton chemin
Dessine-le devant toi
Marche, marche encore et toujours
Poursuis ta quête
Ici et maintenant
Marche
Marche vivant… !

📖 Métaphore

Face à la roche, le ruisseau l'emporte toujours, non pas par la force mais par la persévérance.

H. Jackson Brown

Souvent, il suffit de regarder la nature pour avoir le courage de persévérer face aux obstacles se trouvant sur le chemin de l'évolution et du changement.

À l'été 2003, j'ai eu l'occasion de séjourner à Point Prim, une région située à la pointe sud de l'Île-du-Prince-Édouard. À cet endroit absolument merveilleux, assez isolé de la civilisation, se trouvait une nature sauvage des plus splendides. La plage était d'un rouge flamboyant, et seuls y vivaient des êtres de la nature, en plus de quelques rares êtres humains. La plupart du temps, il n'y avait personne et, pourtant, c'était plein de vie!

Je pourrais vous raconter plusieurs histoires merveilleuses, inspirantes et loufoques liées à la nature en cet endroit, mais j'ai choisi de partager avec vous celle des escargots.

Je n'ai jamais vu autant d'escargots au pied carré... Des milliers d'escargots agrippés à des cailloux et à des rochers, visibles surtout à marée basse. Je me suis souvent promenée et assise sur le sable pour les observer... Ce qui m'impressionnait et me touchait le plus, c'est qu'à chaque marée basse, les vagues les repoussant vers le rivage, ils reprenaient assidûment leur chemin vers la mer...

Avez-vous déjà eu l'occasion de constater la vitesse à laquelle se déplacent les escargots? Ces animaux sont d'une lenteur incroyable! Chaque fois que le mouvement de la mer qui les habite les repousse vers un terrain sec, ils savent exactement quoi faire et ils le font avec une persévérance inouïe, sans se décourager. Ou, à tout le moins, ils n'expriment pas un mécontentement que nous soyons en mesure de saisir...

L'escargot sait qu'il doit retourner à la mer pour assurer sa survie. Il laisse un sillon sur le sable derrière lui sans jamais se retourner. Il connaît la direction à prendre pour regagner sa cible, car sa nature et sa survie en dépendent. Jour après jour, il fait et refait ses mouvements pour avancer, malgré l'agitation qui semble l'éloigner continuellement de son but.

Vous pouvez donner à cette histoire le sens qui vous parle le plus et l'utiliser dans les contextes où elle vous sera utile, tout comme vous pouvez l'oublier, tout simplement, si vous ne vous retrouvez pas dans la vie d'un simple escargot.

Pour ma part, je garde un souvenir magnifique de cet endroit du monde où les escargots travaillent lentement mais sans relâche à retourner vers la mer, car c'est ainsi que va la vie...

Conclusion

Tu peux t'élever davantage encore, car tu as voulu apprendre.

Extrait de *Jonathan Livingston le goéland*, de RICHARD BACH, ÉCRI-
VAIN ET PILOTE AMÉRICAIN

En conclusion, le chemin de l'évolution demande des efforts constants et représente un choix quotidien. Il apporte toutefois des gratifications à la mesure des efforts fournis.

Avez-vous déjà appris à conduire une voiture manuelle ? Si c'est le cas, vous rappelez-vous à quel point cette méthode était compliquée au départ. C'est tout un art de coordonner le geste d'enlever le pied de la transmission en mettant juste assez de pression sur l'accélérateur. Au début, la voiture s'étouffe, on fait des départs trop violents, on oublie de changer de vitesse au bon moment… Puis, avec de la pratique, on parvient à assimiler tout cet apprentissage. On pense alors avoir maîtrisé le phénomène, jusqu'au moment où on arrive à sa première côte et que le stress s'empare à nouveau de nous et qu'on a peur de reculer dans la voiture qui est derrière nous ou de foncer dans celle d'en avant ! Il y a plusieurs étapes à franchir avant de maîtriser la technique en entier. Puis, tout à coup, un jour, on s'aperçoit qu'on conduit la voiture manuelle de façon automatique et qu'on ne pense même plus à ce qu'on est en train de faire. Chaque étape s'est intégrée dans un tout que l'on réussit à manier avec aisance...

C'est un peu la même chose pour l'apprentissage de nouveaux comportements humains. Il y a plusieurs étapes successives à franchir avant de sentir que le comportement ou l'attitude sont devenus naturels. Il est vrai que le chemin de l'évolution humaine est parfois difficile. C'est pourquoi plusieurs personnes préfèrent continuer de conduire une voiture automatique.

Je terminerai ce livre sur un thème que plusieurs d'entre nous avons tant de mal à accepter, tant chez nous-même que chez les autres : l'imperfection.

Quoi que l'on fasse, la nature de l'être humain demeure imparfaite, et nous devons l'accepter, qu'il s'agisse de nous ou des autres. Selon plusieurs religions, philosophies ou écoles de pensée, nous venons sur terre pour apprendre les principes de la vie et pour évoluer, et ce n'est qu'au moment où nous avons compris l'essentiel de ces leçons que nous sommes réellement prêt à accéder à une autre dimension, à partir pour un autre voyage.

Chacun a ses propres idées à ce sujet. Peut-être est-ce la réalité, peut-être est-ce une idée imaginée pour garder courage dans cette existence parfois tumultueuse. Quoi qu'il en soit, l'important, c'est que vos croyances vous apportent du réconfort dans les moments de tempête, qu'elles vous calment face à un tumulte d'émotions. C'est cela, le principal.

Je considère que l'essentiel est de croire en soi et en les autres ainsi que dans les capacités de chacun à s'améliorer, en même temps que l'on doit apprendre à accepter et à aimer le côté imparfait de la nature humaine.

J'espère que ce livre vous aura apporté des outils pour mieux fonctionner et vous sentir plus léger. Je ne crois pas qu'il s'agisse de la vérité et je ne crois pas non plus qu'il y ait une recette pour parvenir à l'équilibre intérieur. L'être humain est si complexe ! Je pense cependant que nous pouvons nous entraider, qu'il s'agit d'une grande roue où un simple mouvement positif à un endroit enclenche un mouvement différent et fascinant, un peu comme une pierre qu'on lance à l'eau et qui fait des cercles concentriques qui atteindront le rivage.

J'ai envie de vous dire de continuer à agir selon vos convictions profondes, à lancer des pierres à l'eau à votre façon, si unique. Ainsi, vous toucherez et aiderez des gens, parfois même sans le savoir, comme d'autres vous aident indirectement et d'une façon si subtile sur ce chemin de vie que nous traversons tous...

Bonne route et merci !

Annexe 1

La pyramide des besoins de Maslow

Dans le modèle de la pyramide de Maslow, les besoins qui se situent à la base de la pyramide sont des besoins d'ordre physiologique, comme manger, boire, dormir, etc. Plus on s'élève dans la structure, plus les besoins évoluent et se révèlent de nature psychologique. Le sommet de la pyramide correspond à l'actualisation de soi.

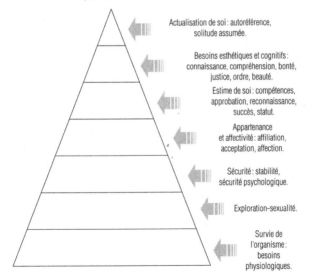

La pyramide des besoins de Maslow

Actualisation de soi : autoréférence, solitude assumée.

Besoins esthétiques et cognitifs : connaissance, compréhension, bonté, justice, ordre, beauté.

Estime de soi : compétences, approbation, reconnaissance, succès, statut.

Appartenance et affectivité : affiliation, acceptation, affection.

Sécurité : stabilité, sécurité psychologique.

Exploration-sexualité.

Survie de l'organisme : besoins physiologiques.

Annexe 2

Mon contrat d'équilibre des sphères de ma vie (À reproduire dans votre journal de bord.)

Les contacts avec mes amis et ma famille

Objectif concret : _____

Le travail

Objectif concret : _____

La vie amoureuse

Objectif concret : _____

La santé (exercice, alimentation, sommeil)

Objectif concret : _____

Le jeu (loisirs et créativité)

Objectif concret : _____

La spiritualité

Objectif concret : _____

Signature : _____ Date : _____

Moi, _____,
je m'engage à faire de mon mieux pour atteindre les objec-

tifs d'équilibre ci-dessus mentionnés. Je m'engage aussi à me respecter dans ce processus et à me servir de ces objectifs pour apprendre à mieux me connaître et à m'apprécier davantage.

Et je signe _____

en date du : _____

Date de révision du présent contrat : _____

Références

Berger, Kathleen Stassen. *Psychologie du développement*, Mont-Royal, Modulo Éditeur, 2000.

Blondin, Robert. *Le bonheur possible*, Montréal, Les Éditions de l'Homme, 1983.

Cacioppo, John. (Programme *Mind-Body Network* de la Fondation John D. and Catherine T. MacArthur), 2004. http://www.gallup.hu/pps/2003/Cacioppo.pdf

Cameron, Julia. *The Artist's Way*, New York, Putnam Book, 1992.

Campbell, Bruce. *Les intelligences multiples*, Montréal, Les Éditions de la Chenelière inc., 1999.

Christophe, André et François Lelord. *L'estime de soi: s'aimer pour mieux vivre avec les autres*, Paris, Éditions Odile Jacob, 1999.

Corneau, Guy. *Victime des autres, bourreau de soi-même*, Montréal, Les Éditions de l'Homme, 203.

Covey, Stephen R. *The 7 Habits of Highly Effective People*, New York, Fireside, 1989.

Kubler-Ross, Elisabeth et David Kessler. *Leçons de vie*, Paris, Éditions JC Lattès, 2000.

Mook, Douglas G. *Motivation : the Organization of Action*, New York, 1987.

O'Hanlon, Bill. *A Guide to Inclusive Therapy*, New York, W. W Norton & Company, 2003.

Peck, Scott. *Le chemin le moins fréquenté*, Paris, Les Éditions Robert Laffont, 1978.

Plutchik, Robert. *Emotions in the Practice of Psychotherapy*, Association américaine de psychologie, 2000.

Servan-Schreiber, David. *Guérir : le stress, l'anxiété et la dépression sans médicaments ni psychanalyse*, Paris, Les Éditions Robert Laffont, 2003.

Salomé, Jacques. *Le courage d'être soi,* Gordes (France), Les Éditions du Relié, 1999.

Sheehy, Gail. *Les passages de la vie – les crises prévisibles de l'âge adulte*, Montréal, Éditions Sélect, 1978.

Imprimé en Allemagne par GGP Media GmbH en août 2012
Dépôt légal : octobre 2012
ISBN : 978-2-501-07336-3
4069522 / 01

274 - 3567

Fau - 514 - 274 - 1605

Pineau Leblau.
33 1 42 65 36 21